OSKAR S

Klassische und moderne Klassiker

Goethe — Brentano — Eichendorff

Gerhart Hauptmann — Thomas Mann

VANDENHOECK & RUPRECHT IN GÖTTINGEN

Oskar Seidlin

geb. 1911 in Königshütte (Oberschlesien) — Studium der deutschen Literatur, Geschichte und Philosophie in Berlin, Frankfurt/Main, Basel (Dr. phil. 1935). 1933 Emigration, zuerst in die Schweiz, 1938 nach USA. — Universitätslehrer, 1946—1972 Professor (seit 1966 Regents Professor) für deutsche Literatur an der Staatsuniversität von Ohio, Columbus, Ohio; ab 1972 an der Indiana Universität, Bloomington, Ind. — 1963 Goldene Goethe-Medaille, 1968 Preis für „Germanistik im Ausland" der Deutschen Akademie für Sprache und Dichtung, 1969 Dr. h. c. der Universität von Michigan, Ann Arbor, Mich. — Veröffentlichungen vor allem auf dem Gebiet der klassischen und romantischen Dichtung.

Kleine Vandenhoeck-Reihe 355 S

ISBN 3-525-33322-6

In Dankbarkeit und Freundschaft
meinen „Göttinger Sieben".

Gunhild und Thomas Gardner

Ursula Kayser

Ulla und Eduard Neumann
(jetzt Berlin)

Dagmar und Albrecht Schöne

INHALT

VORBEMERKUNG

Die erste Sammlung meiner vermischten Aufsätze, das Bändchen „Von Goethe zu Thomas Mann", ist von Lesern und Kritikern so freundlich und zustimmend aufgenommen worden, daß ich mich ermutigt fühle, ihr jetzt diese zweite nachfolgen zu lassen. Es handelt sich dabei um Arbeiten der letzten fünf Jahre. Ein hoher Prozentsatz von ihnen ist ursprünglich als Beitrag zu Festschriften für Freunde und verehrte Kollegen erschienen und schon aus diesem Grunde einem breiteren Publikum nicht leicht zugänglich. Direkte Hinweise auf das Werk dieser Gefeierten, soweit ich sie in meine Aufsätze hatte einfließen lassen, habe ich nicht ausgeschieden, weil auch in diesem neuen Rahmen diese Bekenntnisse meiner Zuneigung und dankbaren Verbundenheit erhalten bleiben sollen.

Den Bekenntnischarakter, den meine literarkritischen Bemühungen insgesamt zur Schau stellen wollen, habe ich noch dadurch unterstrichen, daß ich als erstes Stück eine Ansprache einsetze, in der ich mich zu einem von mir häufig geübten Betrachtungsprinzip bekenne, und die auch hier ohne Retouche, d. h. mit dem unverwischten Bezug auf den ehemaligen, konkret gegebenen Anlaß, erscheint.

Und da von Bekenntnissen die Rede ist, stehe hier am Schluß meine Dankeserklärung an Dr. Arnold Fratzscher, den früheren Lektor des Hauses Vandenhoeck & Ruprecht, der mich diesem Verlag gewonnen und meine bisherigen Veröffentlichungen betreut hat. Wenn ich früher den Versuch machte, ihn als freundlichen und freundschaftlichen Helfer beim Namen zu nennen, hat er mit dem Rotstift, über den ein Lektor verfügt, meine Absicht zuschanden gemacht. Jetzt, da er in den Ruhestand getreten ist, kann er sich nicht mehr wehren. Und diese seine Ohnmacht beute ich ebenso schamlos wie erfreut für dieses verspätete Dankesbekenntnis aus.

Worthington (Ohio), Oktober 1971

Oskar Seidlin

Apologia qua Praefatio:

INTERPRETATION
ALS EINE MORALISCHE VERANSTALTUNG
BETRACHTET

Ansprache bei der Verleihung des Preises für Germanistik im
Ausland der Deutschen Akademie für Sprache und Dichtung

Sehr verehrter Herr Präsident, hochgeschätzte Mitglieder der
Akademie, meine Damen und Herren!

Leicht und schön ist die Aufgabe, die mir in dieser Stunde zufällt,
und ungetrübt sollte ich mich ihrer erfreuen. Was könnte leichter
und schöner sein, als für eine Ehrung Dank zu sagen, die mir bestätigt, daß meine beruflichen Bemühungen Aufmerksamkeit, ja
Billigung gefunden haben im Kreise derer, die durch ihr Wissen
und ihre Leistung zu den Besten des deutschen Volkes gehören?
Frohen Herzens also bin ich gekommen, Ihnen Dank zu sagen —
und doch auch wieder beklommenen Herzens. Denn sehr beunruhigt
mich die Frage, ob mir denn im Entferntesten zukommt, was mir
heute zufällt, ob ich mich in dem Schattenriß, den die Preisverlei-
hungsurkunde von mir entwirft, wirklich erkennen darf. Besänfti-
gen kann ich solche Beklommenheit nur dadurch, daß ich den Dank,
den ich so gern und aufrichtig abstatte, damit verbinde, Rechenschaft
abzulegen, Rechenschaft nicht über das, was ich erreicht habe und
was mir — als Erreichtem — einen Anspruch auf Ihre Billigung
sichern könnte, sondern über das, was mir als Ziel vorschwebte, als
die Aufgabe, die ich zu erfüllen *hätte*, damit Zustimmung und An-
erkennung einigermaßen zu Recht bestünden. Sprechen also möchte
ich über die Art, in der ich zu wiederholten Malen, wenn auch durchaus nicht ausschließlich, versucht habe, einen Zugang zur Dichtung
zu finden und meinen Schülern einen solchen Zugang zu erschließen,
über die Methode, die man die werkimmanente Interpretation zu
nennen gewohnt ist, das Bemühen, ein literarisches Kunstwerk aus
seinen eigenen Gegebenheiten zu deuten; aus Sprache, Form, Bildern, Rhythmus seinen Sinn und seine Sonderheit zu bestimmen,
ohne sie abzulesen, ja gar zu erklären aus außerdichterischen Faktoren, dem Biographischen etwa, oder Beeinflussungen durch Fremdes,

oder allgemein historischen, geistes- und sozialgeschichtlichen Zusammenhängen. Ich kann nicht erwarten, Sie werden nicht erwarten, daß ich zu den Argumenten und Gegenargumenten über die Berechtigung und Fruchtbarkeit dieser Methode etwas Neues beizutragen habe. Seit langem ist das Für und Wider erörtert und geklärt, sind die Vorzüge herausgestellt, die Gefahren bezeichnet, so kürzlich wieder von Horst Rüdiger in seiner eindringlichen Abhandlung „Zwischen Interpretation und Geistesgeschichte" [1]; aber selbst wer den theoretisch formulierten Ansprüchen der Interpretationstechnik mit Skepsis gegenübersteht, wird schwerlich ihre praktischen Triumphe, den unverlierbaren Gewinn etwa durch Emil Staigers „Kunst der Interpretation", Wolfgang Kaysers „Das sprachliche Kunstwerk", Fritz Martinis „Wagnis der Sprache" und manches sonstige in Abrede stellen können. Keine neuen Gesichtspunkte also, schon deshalb nicht, weil mein Blick nach rückwärts gewandt ist, wie es nicht anders sein kann, wenn man eine *apologia pro vita sua* vorlegt, wie es aber auch der heutige Stand der Literaturwissenschaft erheischt, die mit Recht den alleinseligmachenden Heilsanspruch der Interpretationsmethode abweist und die das, was an ihr fruchtbar ist, in umfassendere Anschauungsweisen hat einfließen lassen. Nicht mehr als ein kleines Rückzugsgefecht sei hier geführt; und wenn auch seine Strategie gar nichts Neuartiges zu bieten hat, so möchte die Waffe gern einige Aufmerksamkeit beanspruchen. Denn zeigen möchte ich, daß Interpretation geeignet und befähigt ist, Tugenden zu entwickeln und ins Spiel zu bringen, die, wenn zur Gewohnheit geworden, einen Lohn versprechen, der über das eigentliche Ziel der Methode, die Erhellung und das Verständnis eines vorliegenden dichterischen Textes, durchaus hinausreichen. Weswegen ich sie denn auch, nicht ganz ohne ironisch-parodistische Absicht, als eine moralische Veranstaltung vorführen möchte.

Schon aber, ehe ich noch meine Rechenschaft begonnen, muß ich sie in Frage stellen. Von Tugenden sollte die Rede sein, denen die Interpretationsmethode Vorschub leisten könne. Ist dort aber Tugend, wo keine freie Entscheidung vorausgeht, wo der Standort bestimmt, daß man diesen Weg wählen mußte und keinen anderen? Mein Standort ist Amerika, das Land, das, als ich mich dort einlebte, den New Criticism zum A und O aller Bemühung um das Gedicht ausgerufen hatte, Konzentration auf „The Poem Itself" [2], auf „The Verbal Icon" [3] unter weitgehendem Verzicht auf die Erhellung, die biographisches, historisches, geistesgeschichtliches Wissen beizutragen vermöchte. So hätte ich denn nur, wenn ich mich zur werkimmanenten Interpretation bekannte, aus der Not eine Tugend gemacht? Die Not, die Notwendigkeit ist unbestreitbar. Mein Student, der amerikanische Student bringt die Voraussetzungen nicht mit, zum allerwenigsten, wenn er sich fremden, deutschen Spracherzeugnissen zuwendet, die es ihm ermöglichten, ein literarisches Produkt in seinem lebens-, kultur- und dichtungsgeschichtlichen Zusammenhang zu sehen. Hinzu kommt sein liebenswerter Zug zum Pragmatismus. Der Amerikaner will ins Auge fassen können, was man ihm demonstriert; Sprache und Satzbau, Zeilenführung und Form, Motiv, Metapher und Klangmodulation — das läßt sich vorweisen und nachprüfen; Ableitungen aus übergreifenden Sinnbezügen, die von außerhalb dem konkreten Gegenstand zugebracht werden, verlangen von dem nicht genügend Informierten eine kritiklose Annahme, zu der sich der Student drüben nicht gern versteht. Sein Anspruch an den Interpreten lautet: du mußt mir's zeigen; und vollstes Verständnis hätte er für Goethes Diktum, das sich freilich auf Werke der bildenden Kunst bezieht: „Um von Kunstwerken eigentlich und mit wahrem Nutzen zu sprechen, sollte es freilich nur in Gegenwart derselben geschehen."[4]

Ob es nun der Zwang der Lage gewesen ist, dem ich mich gebeugt oder ob wirklich in vollem Maße freier Entschluß, die Grundvoraussetzung, auf der die Arbeit und Leistung des New Criticism beruht, *close reading*, genaues Lesen, das ist und war sehr nach meinem Herzen. Und eine Tugend, eine moralische Veranstaltung, wird man solche Genauigkeit des Lesens füglich nennen dürfen. Sie nimmt zuerst einmal ernst, was eigentlich nie in Frage stehen sollte: daß nämlich ein sprachliches Kunstwerk ein Gebilde aus dem Material Sprache ist und daß, was immer es bedeuten mag, was immer sein Sinn, seine Absicht, ja vielleicht sogar sein bewußt verfolgter Zweck, sich nur durch das Medium der Sprache fassen läßt und durch die Art, wie dieses Medium gehandhabt wird. Man muß so weit nicht gehen, wie ein sehr beachtenswerter amerikanischer Dichter, wie Archibald McLeish, der apodiktisch erklärt hat: „A poem should not mean, but be" (ein Gedicht soll nicht bedeuten, es soll sein). Ich bin nicht geneigt, ihm einen solchen Anspruch, der mir ebenso selbstherrlich wie leer erscheint, abzunehmen. Aber eines ist doch unbestreitbar: was immer es bedeuten mag, kann sich nur aus seinem sprachlichen Da-Sein und So-Sein erschließen lassen, aus seiner Leibhaftigkeit, die es so genau wie möglich zu beobachten und beschreiben gilt. Daß es ein Körper ist, der uns, dem Betrachtenden, entgegensteht, und daß seine Glieder, von seiner bescheidensten Partikel, dem einzelnen Wort, bis zu seiner ganzen Gestalt, der umgreifenden Form, wahr aufgenommen werden müssen, ehe es zu uns sprechen, mit uns vertraut werden kann — das hat Schiller etwa

klar erkannt, als er seine Mitpoeten über die spezifische Qualität
und Funktionsart ihres Materials unterrichtete:

> *Laß die Sprache dir sein, was der Körper den Liebenden. Er nur*
> *Ist's, der die Wesen trennt, und der die Wesen vereint.*

Wahrzunehmen, wie der Körper, der Sprachkörper, konstituiert ist,
wie er sich verhält und bewegt, das hat einer unserer klügsten
Dichtungstheoretiker als den eigentlichen Beruf des Kritikers bezeichnet: „Und doch kann man nur dann sagen, daß man ein Werk,
einen Geist verstehe, wenn man den Gang und Gliederbau nach-
konstruieren kann. Dieses gründliche Verstehen nun, welches, wenn
es in bestimmten Worten ausgedrückt wird, Charakterisieren heißt,
ist das eigentliche Geschäft und innere Wesen der Kritik." So Friedrich Schlegel[5].
Genauigkeit des Lesens, Genauigkeit der Beschreibung sind verlangt. Wir sind angehalten, den Wert des Wortes zu ergründen und
zu beobachten, wie es in seinem Zusammenspiel mit anderen Worten
steht, nicht nur seinen Sinn- und Zeichenwert, sondern ebenso sehr
seine Setzung im Satz und dessen Setzung im Gesamt der Sätze,
seine Klangsubstanz, sein rhythmisches Gefälle, sein spezifisches
Gewicht, seine Mittöne, seine assoziative Aura. Für solche Ermitt-
lung hat die werkimmanente Interpretation ein ganzes Laboratorium
von Präzisionsinstrumenten ausgerüstet: die Handhabung von
Schlüsselworten und charakteristischen Wendungen, Leitbildern
und Metaphern, Lautkonfigurationen und Symbolchiffren, syntaktischen und grammatischen Formen, Balancen und Gegenbalancen,
aus denen der Sinn des Ganzen abzulesen ist. Man ist heute schon
wieder geneigt, dieses beharrliche Abhören und Beklopfen des
sprachlichen Duktus zu belächeln und als Haarspaltereien zu ver-
schreien, was doch den Türspalt öffnet, der ins Kunstwerk führt.
Aber mag auch diese Präzision wie eine jede der Präziosität gefähr-
lich benachbart sein, wer könnte leugnen, daß sprachliche Führung,
Tonlage und Bildkraft, Sinn und Bedeutung eines Werkes in sich
tragen und, wenn erhellt, freigeben? Die pathetische Sprachgeste
Schillers ist nicht stilistische Zier — oder Unzier —, sondern der
Tonfall des peremptorischen Freiheitsdranges, und die religiös-meta-
physischen Konflikte, die das Drama von Kabale und Liebe konstitu-
ieren, werden Gestalt in dem Nebeneinander und Aufeinanderprall
der unterscheidbaren und sich überschneidenden Sprachebenen.
Aus dieser Kardinaltugend der Genauigkeit fließen andere, die zu
pflegen die Interpretationsmethode uns auferlegt. Geduld ist eine
von ihnen, die Einsicht, es werde der Gegenstand sein Wesen und
seine Natur nicht dem schnellen Griff preisgeben, sondern nur der

sorgfältigen Erforschung jedes sprachlichen Details, jeder stilisti-schen Figur und schließlich des Prozesses, in dem sich die Einzel-aspekte zu einem Gesamt fügen. Es sollte sich von selbst verstehen, daß, entgegen der Behauptung, die man gern ins Feld führt, eine solche Annäherung an das Gedicht uns von übergreifendem, über den einmaligen Gegenstand hinausgehendem Wissen nicht nur nicht entbindet, sondern uns entschieden dazu verpflichtet. Wir können nicht genau lesen, wenn uns — und das ist die primitivste Verständ-nisebene — die Bedeutungsnuance eines Wortes verschlossen bleibt, und jedem muß es einleuchten, daß wir sie nicht erspüren können, solange wir im Unklaren darüber sind, welchen Sinnraum ein gege-benes Wort in einer bestimmten Zeit, ja vielleicht in dem Vokabular des Dichters, um den wir uns bemühen, absteckt und füllt. Aber Geduld wird uns lehren, diesen Sinnträger nicht voreilig in Zusam-menhänge zu rücken, in die er nicht gehört, sondern aus dem Text zu erschließen, ob ein Wort, das uns als gängige Münze vertraut und aller Befragung überhoben scheint, hier an dieser Stelle wirklich bedeutet, was wir ihm ungeduldigen Sinnes und verführt durch werkfremde Kombinationen imputieren. Lassen Sie mich ein Bei-spiel geben! Weniger als ein halbes Jahrzehnt ist es her, da wurde der Wortschatz eines deutschen Philosophen, eines umstrittenen deutschen Philosophen, einer kritischen Prüfung unterworfen und als Jargon entlarvt, als gefährlicher und finsterer Jargon, und zwar dadurch, daß man ihn, anstatt seinen eigenen Ausdruckswert zu prüfen, in die kompromittierende Nähe von Aussagen rückte, in denen kultur- und menschenfeindlicher Ungeist sich ausgesprochen hatte. Kürzlich ist das Gefährliche eines solchen Unternehmens aufgezeigt worden, erfreulicherweise von einem Zunftgenossen, einem Literaturwissenschaftler, meinem Bonner Kollegen Beda Alle-mann, und da er als Heilmittel gegen solch ungeduldige Bedeutungs-klitterung die moralische Veranstaltung aufruft, von der wir hier sprechen, möchte ich ihn gern wörtlich zitieren: „Die Frage ist immerhin, ob ein Verfahren, das sich anschickt, aus einem um-fassenderen sprachgeschichtlichen Horizont Sprachkritik an einem einzelnen Werkganzen zu üben, sich nicht selber Schaden zufügt, wenn es die Stufe der immanenten Werkinterpretation zu über-springen sucht. Es mag diese Stufe als noch so vorläufig und an sich unzulänglich ansehen: wenn es sich über sie einfach hinwegsetzt, verfällt es der Gefahr, von vornherein an der Sache, um die es geht, vorbeizusprechen."[6] Das ist ganz in dem von uns befürworteten Sinne vorsichtig und geduldig formuliert — aber ist es wirklich eine Frage, daß hier Unzulässiges geschehen ist? So unzulässig wie die diktatorischste Geste der Ungeduld in jüngster Vergangenheit, mit der deutscher Dichtung überhaupt jede Zukunftsmöglichkeit abgesprochen wurde, weil die Sprache durch ihre Erniedrigung zum Werkzeug des Unmenschen so in ihrer Wurzel befleckt und vergiftet sei, daß sie in keinen neuen, heilen, reinen Zusammenhang mehr treten könne [7].

Das mag so exzessiv sein, daß es sich selbst ad absurdum führen sollte. Es entspringt, neben der Ungeduld, einem Mangel an Respekt, jenem Respekt, den die Interpretationsmethode dem einmaligen sprachlichen Kunstwerk und seinem Dichter erweist, indem sie darauf beharrt, daß der wahre Sinn in dem Gedicht beschlossen sei und nicht von außen erst herangetragen werden müsse — Respekt vor allem in der Überzeugung, daß, so wenig wie das entscheidende Stichwort von außen dazutreten müsse, so wenig von innen, von dem als Kosmos Vorliegenden, abgezogen, entwertet, ausgeklammert werden dürfe. Wenn das Gebilde als Ganzes einen Sinn hat, dann muß, als heuristischer Anspruch wenigstens, gelten, daß es keinen Teiles beraubt werden könne dadurch, daß man ihn für ungültig oder sinnlos erklärt. Worum es geht ist dies: daß man sich voreilig das Verständnis abschneidet, wenn man Schwierigkeiten, Züge und Einzelheiten, die nicht zu „passen" scheinen, unter den Tisch fallen läßt oder sie aus dem Werk hinwegeskamotiert durch die Abschiebung auf werkfremde Ebenen, deren werkfremdeste die sprichwörtlich physiologische ist: die Erklärung nämlich, es habe Homer offenkundig wieder einmal geschlafen. Nun will ich nicht in Abrede stellen, daß diesem menschlichen Bedürfnis auch der Dichter, selbst der größte, untertan ist. Aber der Respekt — und er ist doch wohl eine Tugend — sollte uns verbieten, für Unvermögen des Schöpfers und Fehler in der Schöpfung auszugeben, was sehr wohl das Unvermögen des Aufnehmenden sein mag. Dem Goetheschen Gedicht „Auf dem See" kann man, wenn man acht- und achtungslos ist, von allem Anfang an seine geschlossene Kontur, seine integrale Einheit absprechen, weil wir ja wissen, daß seine Teile sich unter verschiedenem Datum als spontane Eintragungen in des Dichters Tagebuch finden. Aber wer so handelte, würde nie die innere Spannung wahrnehmen, die durch Blickrichtung, Versmaß und Rhythmus gerade die unverwechselbare Form und Aussagekraft dieses poetischen Gebildes verbürgt. Man kann — und es ist geschehen — eine Szene im „Tasso", die auf den ersten Blick störend und befremdend wirkt, weil Antonio in einem Licht erscheint, das sein charakterliches Profil zu verwischen geeignet ist, aus dem Drama ausklammern mit dem Hinweis darauf, daß offenkundig eine Antonio-Konzeption, die dem Ur-Tasso angehörte, sich aus Versehen in die endgültige Fassung eingeschlichen hat — bis ein zweiter, ein schärferer Blick uns belehrt, daß die Szene genau an der richtigen Stelle steht und für den inneren wie äußeren Verlauf der dramatischen Handlung unerläßlich ist. Nicht umsonst habe ich aus der Fülle von Möglichkeiten diese beiden Fälle herausgegriffen — in Erinnerung an einen mir sehr nahestehenden Germanisten im Ausland, den zu nennen es mich drängt bei einem Anlaß, der mir solch hohe Ehrung zuteil werden läßt, an meinen viel zu früh verstorbenen Freund und Schüler Sigurd Burckhardt, der, achtungsvoll und beobachtungsreich, an diesen Beispielen[8] wie an zahlreichen anderen dargetan hat, daß gerade eine scheinbare Unstimmigkeit, ein Widerspruch, der die einheitliche Linie des Kunstwerks zu zerreißen scheint, den Weg zu vollerem Verstehen öffnet.

Niemand wird solchen Verhaltensweisen, die die Textinterpretation verlangt und fördert, ihren moralischen Charakter absprechen wollen. Aber dem Haupteinwand gegen die Methode ist damit nicht begegnet, nicht zurückgewiesen der Vorwurf, daß solche Konzentration auf das Einzelphänomen die Fäden zerschneide, die das Werk an geschichtliche Abläufe knüpfe, es herausnehme aus dem Lebenszusammenhang dessen, der es geschaffen, aus dem Zusammenhang geistiger, politischer, ja ideologischer Faktoren, aus denen die Dichtung erwachsen sei und die sie spiegele. Gefördert werde, so wird versichert, eine Atomisierung, die alle geschichtlichen Bindungen und Verbindungen sprenge, ein ahistorisches, ja antihistorisches Denken und Betrachten, das Dichtung in einen luft- und lebensleeren Raum entrückt, entfremdet dem für und durch eine Zeit gegebenen geistigen Kräftespiel, an dem sie doch teilhat als Produkt dieses Dichters und dieses historischen Moments. Die Gefahr sei nicht geleugnet und nicht beschönigt. Aber sie läßt sich vermeiden. In ihren geglücktesten Beispielen hat die Interpretationsmethode sie vermieden, und es scheint mir nur billig, ihre Möglichkeiten — wie die jeder anderen Methode — an ihren Spitzenleistungen zu bemessen und nicht an ihren Fehlschlägen. So etwa gelingt es dem erwähnten Buch von Fritz Martini, einer Sammlung von zwölf Einzelinterpretationen, angefangen bei Nietzsche und endend mit Gottfried Benn, charakteristische dichterische Ausdrucksformen und die Kurve ihrer Wandlungen zu entwerfen, Wandlungen, an denen sowohl geistesgeschichtliche wie soziologische Bewegungen und die durch sie bedingten Bewußtseinsstrukturen abgelesen werden können. So auch hat Wolfgang Kayser durch minutiös genaues Lesen individueller Dichtwerke die Mutationen literarischer Gestaltungsweisen freigelegt, ohne daß die Einzelstücke zu exempla entwertet werden, an denen sich Außerdichterisches demonstrieren ließe. Kaum stichhaltig ist der Einwand, daß solche Ergebnisse, solche historischen und weltanschaulichen Erkenntnisse, sich nur dann ergeben, wenn eine — möglichst chronologisch angeordnete — Reihenfolge von individuellen Stücken zur Grundlage interpretatorischer Bemühungen gemacht werde. Zahllos sind die Beispiele, die uns eines anderen belehren. Emil Staigers klassische Deutung von Mörikes „Auf eine Lampe" [9] erhellt, gestützt freilich auf umfassendstes Wissen, das sich zur Vergleichung und Abgrenzung nutzbar machen läßt, überzeugender als manche weitschweifig historische Beweisführung die prekäre Seelenlage eines Erben und Nachgeborenen, eine spätzeitliche Kunstauffassung, die sich mühsam und in schmerzlicher Resignation gerade noch festhalten kann an einem einst gesicherten Schönheitskanon — und dies durch die subtilste Exegese der in dem poetischen Gebilde beschlossenen Figuren und Sprachwendungen, ja bloßer Wortkombinationen wie die das Gedicht eröffnende „noch unverrückt" und die dann folgende Ortsangabe „des nun fast vergessenen Lustgemachs". Aus jüngster Zeit möchte ich ein ebenso eindringliches und überzeugendes Beispiel erwähnen: Albrecht Schönes Untersuchung „Über den Gebrauch des Konjunktivs bei Robert Musil" [10], der es gelingt, ausgehend von einem pur grammatischen Modus und ihm alle innewohnenden Ausdrucksfunktionen abfragend, den geistigen Umriß eines großen Erzählers zu entwerfen, ja mehr noch, den einer ganzen Epoche, die, aller Sicherheiten und festen Orientierungspunkte beraubt, sich besonders gern im Irrealis, in der Aussageform tastender Möglichkeit und relativierender Konditionalität vernehmen läßt.

Nein, die werkimmanente Interpretation entrückt das dichterische Werk nicht notwendigerweise in einen luftleeren, lebensdürftigen Raum. Aber sie hält an zur Bescheidenheit und warnt den Betrachter davor, das Gedicht und seine Bemühung um das Gedicht zu überfordern. Emil Staiger, der nicht unser bewunderter Meister wäre, wenn er nicht das, was er selbst so beispielhaft handhabt, gelegentlich provokatorisch in Frage stellte, hat in der eben erwähnten Mörike-Analyse eine Forderung, deren Unerfüllbarkeit er freilich selbst zugibt, vor dem Literaturwissenschaftler aufgerichtet: „Eigentlich", so sagt er, „sollten wir jede Dichtung im ganzen der Menschheitsgeschichte betrachten" [11]. Ein kühner Aus- und Anspruch — aber sollten wir wirklich? Wer, selbst wenn es wünschenswert wäre, dürfte sich dann noch qualifiziert fühlen? Und ist es wirklich wünschenswert? Wäre einem Gedicht wie „Über allen Gipfeln ist Ruh" damit gedient, daß wir es in so universalen Zusammenhang einfügen? Dem — um mit Friedrich Schlegel zu sprechen — Gang und Gliederbau dieses achtzeiligen Sprachwunders nachzuspüren, der Modulation seiner Lautstruktur, bis es dann mit seiner letzten

Zeile „Ruhest du auch" in dem dunklen Klangregister sein Ziel findet, aufzunehmen die Besänftigung der Konsonanten, die der Reim „Walde : balde" bewirkt — dafür sollten wir uns entscheiden, damit sollten wir uns vorerst einmal bescheiden, ehe wir das Gedicht in dem Ozean der Menschheitsgeschichte versinken lassen.

Wie leicht es in diesem Ozean versinken kann — wir wissen es nur zu gut. Ungerecht wäre es, die bedeutenden Leistungen und Einsichten zu verkennen, die wir der geistesgeschichtlichen Literaturbetrachtung verdanken. Aber die Jünger der Werkinterpretation haben mit Recht daran erinnert, daß ein dichterisches Gebilde mehr und anderes ist als ein Dokument, das sich dadurch ausschöpfen läßt, daß man in ihm nur den Träger weltanschaulicher, philosophischer und zeitgeschichtlicher Probleme sieht. Wenn nichts anderes, so sollte Bescheidenheit uns verbieten, es als Rädchen nur in die Maschinerie eines großen historischen Entwurfes einzubauen, der in systematischer Geschlossenheit seine Ansprüche an das Werk stellt und darauf pocht, daß es solche Ansprüche erfülle. Es wäre heilsam, wenn man sich bescheidentlich daran erinnerte — auch wenn man sich so radikaler Erkenntnisskepsis nicht ganz verschreiben mag —, wie sehr und oft das, was man den Geist der Zeiten heißt, nichts anderes ist als der Herren eigener Geist, in dem die Zeiten sich bespiegeln. Dann wird man sich — ein Beispiel nur sei genannt; um der Gerechtigkeit willen ein Beispiel aus einem Meisterwerk seiner Gattung — vor der Mißdeutung bewahren, der in Korffs „Geist der Goethezeit" das Epos von Hermann und Dorothea verfällt, verfallen muß, weil die große geistesgeschichtliche Konzeption ihm abverlangt, es müsse Zeugnis ablegen für das ungetrübte „Idealbild deutscher Bürgerlichkeit", für einen gegen alle Zweifel und Erschütterungen gefeiten Ordnungssinn, der so gefestigt und selbstverständlich ist, daß Hermann etwa nie daran denke, „sich das Weib seiner Wahl gegen die Familie zu ertrotzen" [12], so als gäbe es nicht jenes entscheidende Gespräch zwischen Mutter und Sohn unter dem Birnbaum, in dessen Verlauf Hermann eindeutig damit droht, das Elternhaus für immer zu verlassen, wenn ihm Dorothea unbedingt verweigert wird.

Schlimmer noch die Verrenkungen, die der Dichter und sein Werk von einer betont ideologischen Geschichtskonstruktion erleidet, die, auf du und du mit dem vom Kopf auf die Füße gestülpten Weltgeist stehend, in den menschlichen und schöpferischen Problemen eines großen Dichters nichts anders sehen mag als Sedimente von Bewußtseinslagen, die sich durch die materiellen Gegebenheiten der sozialökonomischen Gesellschaftsstruktur erklären lassen. So lesen wir bei einem Säulenheiligen marxistischer Literaturdeutung über

Heinrich von Kleist: „Das Umschlagen seiner Hoffnungen in radikale Verzweiflung ändert nichts an der borniert religiösen Grundlage seiner fundamentalen Fragestellung. Gerade diese Art der geistigen Krise hat Kleist in der neueren Zeit, wo das weltanschauliche Niveau des Bürgertums seinen tiefsten Niedergang erreicht, so populär gemacht; gerade in dieser Periode erscheinen solche subjektiv echt empfundenen aber objektiv kindischen Krisen als etwas besonders ‚Tiefes' "; und kurz vorher haben wir uns sagen lassen müssen: „Das Kleistsche Grunderlebnis der Einsamkeit ist freilich an sich der Haltung des Menschen zur Gesellschaft im Kapitalismus entsprungen" [13], so als hätten andere menschliche Vergesellschaftungen ein solches Grunderlebnis nie aufkommen lassen. Ob derartige Einbettungen in eine apodiktisch behauptete und politisch diktierte Geschichtskonstruktion einen Erkenntniswert haben, scheint mir zweifelhaft. Unbezweifelbar aber ist, daß sie von herablassender Besserwisserei und Werkfremdheit zeugen.

Genauigkeit — Geduld — Respekt — Bescheidenheit: es sind ernsthafte und ernste Tugenden, denen ich jetzt, da ich zum Ende komme, eine letzte, eine heitere, zugesellen möchte. Es ist die durch die Werkinterpretation geweckte Freude an der Stimmigkeit in der Gesamtorganisation der dichterischen Gestalt, an der schönen Korrespondenz von Sinngehalt mit sprachlicher Prägung und struktureller Ordnung. Es bereitet Genugtuung und Vergnügen, zu entdecken, daß in dem hohen Lied „der Wahrheit und der Menschlichkeit", in Goethes „Iphigenie", nahezu genau in der mathematischen Mitte des Dramas der Anruf ertönt: „Zwischen uns sei Wahrheit!", herausgehoben durch eine metrische „Störung", die Preisgabe der fünffüßig jambischen Zeile, so als wolle der Dichter uns einen Fingerzeig geben, daß hier im Zentrum das Zentrum zu finden sei, um das der ganze Kosmos seines Gedichtes kreise, das Wort: Wahrheit. Freudig ist der Schreck der Erkenntnis, wenn man Hermann als Verlöbnisformel zu Dorothea sprechen hört: „Du bist mein, und jetzt ist das Meine meiner als jemals" und sich der Kühnheit bewußt wird, die in der komparativen Form des besitzanzeigenden Fürworts liegt und ihr abzulesen vermag, daß Habe nicht das ist, was man als Überkommenes hat und bewahrt, sondern das, was über sich hinausstößt in seine eigene Steigerung. Es ist schön zu entdecken, daß in Eichendorffs Gedicht von den zwei Gesellen, von dem einen, der sich behaglich im Philiströsen einrichtet und dem andern, der sich in allen Zaubern der Verführung verliert, die Syntax uns ebensoviel erzählt wie die Gedichtsaussage selbst: die spießige Regelmäßigkeit des ersten, die sich brav und bieder von Subjekt zu Verb, von Verb zu Objekt bewegt, während der Satz, der von dem zweiten berichtet, uns in einen syntaktischen Wirbel reißt, voller umgestellter Satzglieder, zerrissener Wortfolgen, Einschübe, die sich wie Klippen in den Sprachstrom keilen. Und Krönung des Vergnügens: daß in die Strophe des ersten, des behaglich im Heimischen und Häuslichen Sitzenden, ein unsauberer Reim sich einschleicht, ein provinzieller, ein schlesischer Reim, zugehörig dem Sprachraum, wo der Dichter selbst daheim und häuslich geborgen war.

Sind es Spielereien, die uns solche Freuden gewähren? Aber wenn sie es sind, so sind sie vielleicht doch nicht ganz unangemessen in ihrer Anwendung auf eine menschliche Tätigkeit, die nicht zuletzt ein hohes Spiel ist, dies wohl eher als das Aushängen gedanklich programmatischer und philosophischer Spruchbänder, ernste Scherze, als die häufig genug selbst die Größten ihr Werk erkannt haben. Unter die moralischen Veranstaltungen, die die Interpretation befördert, darf solches Vergnügen jedenfalls zu rechnen sein. Mir ist es oft, wenn ich mir ein Dichtwerk zu erschließen suchte, zuteil geworden, und diese Freude war sich selbst Gewinns genug. Daß Sie, meine Damen und Herren, jetzt noch ein Übriges tun und mich für meinen Umgang mit Dichtung, der mir mein Leben reich gemacht hat, lohnen und ehren, das ist ein ganz unverdientes Glück. So auch konnte ich es mir nicht nehmen lassen, heute von weither zu Ihnen zu kommen, um Ihnen dafür meinen herzlichen und großen Dank zu sagen.

ÜBER „HERMANN UND DOROTHEA"

Ein Vortrag

Über „Hermann und Dorothea" sprechen heißt, so scheint es, sich auf eine unzeitgemäße Betrachtung einzulassen. Denn Glanz und Ruhm des Gedichts, in dem unsere Vorväter sich geschmeichelt und selbstgefällig spiegelten, sind erloschen[1]. Die Kohlen, an denen, nach Goethes eigenem Wort, er sich bei jeder Neubegegnung mit dem einmal Geschaffenen in Rührung schmelzend fand[2], sind ausgebrannt und kalt. Keinen Hund, vor allem keinen jüngeren Hund, lockt man mehr hinter dem Ofen hervor durch das künstliche und hochsteigernde Amalgam von deutsch bürgerlicher Lebensenge und homerischer Weltenweite, ein Amalgam, in dem vergangene Generationen gern ihre stolze Besitzesfreude über das, was man hat, ihre eitle Zufriedenheit mit dem, was man ist, edeltönend verklärt sahen.

Gerade dies aber: beruhigte Zurschaustellung und klug ökonomische Vernutzung des gesichert überkommenen Besitzes, gerade dies ist „Hermann und Dorothea" nicht. So oft auch dieses Wort im Gedicht erscheinen mag, so liebevoll der Blick auch auf Haus und Hof, auf Wirtschaftsgerät und selbst noch auf dem *alten kattunenen Schlafrock* verweilt — daß alles Heimische und Behauste sein Gegenbild in sich trägt, daß alles Festgefügte das andere, die Erschütterung, nicht ausschließen kann und darf: das ist die Grunderfahrung des Gedichts. Denn die Revolution und das von ihr Bewirkte, Chaos und Flucht, Auflösung und Umgetriebensein, rollen nicht einfach auf der offenen Landstraße vorüber. Man kann sie sich nicht vom Leibe halten, indem man sie leicht verschreckt, aber wohlwollend behaglich unter dem Tore am Markte sitzend, mit milden Gaben zum Weiterziehen auffordert. Sie schickt ihren Boten ins Herz des Hauses, und keinen anderen Sinn hat das Gedicht als uns vorzuführen, wie das Fremde und Flüchtige — oder sollte ich, da ich doch nur den Inhalt erzähle, sagen: die Fremde und Flüchtige? — heimgeholt und eingebaut wird als der Eckstein, auf dem das alt-neue Leben gründen soll. Und so in allem: das Städtchen selbst steht auf Verwüstetem; auf dem brandversengten Boden erheben sich die neuen Häuser, deren Mittelstes, das Gasthaus zum Goldenen Löwen, jenes Paar bewohnt, das sich buchstäblich auf den Trümmern am Morgen nach dem alles zerstörenden Feuer zum Lebensbund gefunden hat. Und die neue Liebesvereinigung wird vollzogen nicht wie der Löwenwirt es für sich und seinen Sohn wünschte vor dem Altar und unter den Klängen des Friedens-Tedeums, sondern im unfeierlichen, altvertrauten Zimmer, während draußen mit Blitz und Donner der wilde Sturm sich austobt. Das ist nicht nur grollende Hintergrundsorchestrierung, die Folie, vor der neugegründete Häuslichkeit sich um so strahlender abheben soll. Es ist das andere, das Ent-bundene, das — als sein Gegenpol — zum Bund dazugehört, aus dem neues Leben erwachsen soll. So weiß es das Gedicht, wenn es die beiden Freunde, den Pfarrer und den Apotheker, von Tod und Sterben sprechen läßt in dem Augenblick, da die Liebenden sich ihrem zukünftigen irdischen Wohnsitz nahen; so weiß es vor allem Dorothea, wenn sie, Hermann die Hand zum Bunde reichend, sich ihres ersten Geliebten, ihres ersten Verlobten erinnert, der, bevor er als Opfer seiner eigenen revolutionären Begeisterung in Paris seinen Tod fand, die Gebundene freigab mit den Worten:

Locket neue Wohnung dich an und neue Verbindung,
So genieße mit Dank, was dann dir das Schicksal bereitet.
Liebe die Liebenden rein und halte dem Guten dich dankbar!
Aber dann auch setze nur leicht den beweglichen Fuß auf,
Denn es lauert der doppelte Schmerz des neuen Verlustes,

und kurz danach, nun aus eigenem Wissen und Erleben:

O verzeih, mein trefflicher Freund, daß ich, selbst an dem Arm dich
Haltend, bebe. So scheint dem endlich gelandeten Schiffer
Auch der sicherste Grund des festesten Bodens zu schwanken.

Beben im festhaltenden Arm, Schwanken auf sicherstem Grund — das ist nicht die Lebensluft verklärt bürgerlicher Idylle. Der Spannungsbogen zu dem ganz anderen, nennen wir ihn mit Goethes Wort getrost: die Polarität, hat seinen Platz, wo neues Leben erstehen soll, ja das neue Leben ist nichts anderes, als dem Fremden, dem durch die Zeit Zerstreuten, von seinem Orte Losgerissenen ein Heim bereiten wollen. Es möchte scheinen, als spräche ich nur von der, an der in unserer Geschichte die Heimholung sich vollzieht. Aber spreche ich nicht von anderem auch, von des Gedichtes Form, an der so gern und leidenschaftlich Anstoß genommen wird, als handele es sich bei der Übernahme des griechischen Hexameters um eine steril alexandrinische Geste, nicht mehr als edler Faltenwurf, durch den das philiströs Beschauliche sich ins groß Bedeutende stilisieren möchte? Kann es uns denn entgehen, daß diese Form, ein Fremdes, von seinem Orte Losgerissenes, im Zeitverlauf heimatlos geworden, genau das Korrelat der Geschichte dieser Menschen ist, ja daß sie, als Form und durch das, was an ihr geschieht, diese Geschichte noch einmal erzählt: liebevolle Heimholung des Umgetriebenen in das Vertraute und Vertrauliche, und damit — in ganz anderem Sinne freilich — groß bedeutend, groß bedeutend weil Bild der wahrhaft menschlichen Aufgabe, dem von der Geschichte Verschwemmten Heimstatt zu geben und neues Leben zu zeugen durch die Hereinnahme des Fremden und anderen in das eigene Haus [3]. Nicht Zufall kann es sein, daß die griechische Welt, die Dicht-Welt unsres Gedichts, geknüpft ist an den Namen der Flüchtigen und Heimgeholten, Dorothea, im Klang schon nachzeichnend die Lautfigur, mit der jeder Hexameter endet; kein Zufall, daß das einzige Handlungselement der Gesamterzählung, das in Homerisches verweist, gezücktes Schwert und heroische Kampfesbereitschaft, an Dorothea gebunden ist, daß auf sie, und nur auf sie, das Wort gemünzt ist, das die Lebensluft Homers atmet: *Heldengröße des Weibes*. Dorothea aber, vom Griechischen ins Deutsche übersetzt — und was anderes ist in unserer Sicht das Werk als ein Hereinbringen des Fremden ins Vertraute? — Dorothea aber heißt: Geschenk der Götter, die Gabe aus anderen Bereichen, nicht von uns geschaffen und nicht uns zugehörig, oder uns zugehörig nur dann, wenn wir das in irdischem Raum und irdischer Zeit nicht Wurzelnde festhalten und sein Schwanken verankern auf sicherstem Grund.

Aber ein weiteres noch legt der Name Dorothea nahe [4]. Gottesgeschenk ist das, was uns von jenseits — und sei dieses Jenseits auch nur das jenseitige Rheinufer — zufällt. Gottesgeschenk ist der Zu-Fall im ganz eigentlichen Sinne des Wortes, und er stellt an uns die Frage, ob wir ihn festhalten wollen und können, oder ob er, als ein Außer-Ordentliches in unser Leben tretend, wieder entgleitet und damit das Zu-Fällige sich verwandelt in das Hin-Fällige. Und solche Überlegung, aus dem Namen der Heldin entwickelt, führt uns — wie groß muß eine Kunst sein, die solches ermöglicht? — zum eigentlich Entscheidenden der Bauform unseres Gedichts [5]. Es ist eine Liebesgeschichte, in der der Zufall eine alles beherrschende Rolle spielt, eine fast unwahrscheinliche und komisch anmutende Rolle, wüßte man nicht, was es damit auf sich hat. Eine zufälligere Begegnung als die dieser beiden jungen Leute läßt sich überhaupt nicht denken. Da verliebt sich dieser Hermann gegen alle Voraussicht, alle Erwartung, alle Lebensplanung in ein Mädchen, deren Art er so wenig kennt wie auch nur ihren Namen, ein Mädchen, das zufällig — im ganz wörtlichen Sinne — des Wegs daher gezogen kommt. Und damit nicht genug: die Begegnung ist Zufall in der zweiten Potenz. Als Hermann — seine Abfahrt hatte sich verzögert, weil die Mutter so lange brauchte, um die wohltätigen Bündel für die armen Flüchtlinge fertig zu packen — als Hermann mit Wäsche, kattunenem Schlafrock und Lebensmitteln schließlich und verspätet die Landstraße erreicht, ist der Strom der Emigranten schon vorbeigerollt. Was tun? Der Zufall fügt, daß ein Flüchtlingswagen nicht Schritt halten konnte, hinterherhinkt und zufällig zur Stelle ist, als Hermann schon glaubt, seine Mission sei fehlgeschlagen. Es ist natürlich dieser Zufallswagen, der zufällig von Dorothea geführt wird. Und sie spricht ihn an und fragt, ob er nicht zufällig *von Leinwand nur etwas Entbehrliches* bei sich habe, denn auf dem Wagen liege nackend das Baby, von dem die arme Wöchnerin just entbunden wurde. Und der Zufall will, daß Hermann gerade das in reicher Auswahl anzubieten hat.

So beginnt die ganz unbürgerliche Liebesgeschichte. Und wie erfüllt sie sich? Nachdem nun die Freunde, der Pfarrer und der Apotheker, Art und Namen dieser zufälligen Straßenbekanntschaft ergründet und in Ordnung befunden haben und mit der beruhigenden Auskunft ins Städtchen zurückkehren werden, will Hermann, der am Brunnen auf die Kundschafter gewartet hatte, allein in das Dorf, wo die Flüchtigen ihr Nachtlager aufgeschlagen haben, um aus dem Munde Dorotheas sein Schicksal zu erfahren. Aber welch ein Zufall! Ehe er noch den Weg ins Dorf eingeschlagen, steht Dorothea plötzlich vor ihm, so unerwartet, daß Hermann zu träumen glaubt, und ausführlich wird sie ihm berichten, welcher Zufall es gefügt hat, daß sie just zu diesem Brunnen gekommen ist, Wasser zu schöpfen, anstatt sich der Trinkanlage im Dörfchen zu bedienen.

Zufall über Zufall die ganze Geschichte, weil eben das, was die Geschichte zu erzählen hat, die Geschichte eines Zu-Falls, eines Gottesgeschenkes, einer Dorothea ist. Unkonventionelleres, ein höheres Maß an Non-Konformismus ist gar nicht zu denken[6]. Das ist nicht die Art wie in bürgerlichen Bereichen ein Lebensbund zustande kommt und gestiftet wird. Das Bürgerliche schließt das von Jenseits Zufallende aus, es hat, ordentlich und geordnet, keinen Sinn für das Außer-Ordentliche, es verlangt Vertrautheit, Vorsicht und Voraussicht, und die erste Frage, die es an Menschen und Dinge richtet, bevor es sich mit ihnen einläßt, lautet: was ist dein Nam' und Art? Eine solche Lebenshaltung, auf der Bürgerliches gründet, die Möglichkeit eines Lebensbundes, der Bürgerliches verfestigt, erscheint in unserem Gedicht — als das Gegenbild, das verworfen und abgewiesen wird. Der Löwenwirt hat in kluger Voraussicht, bei der ökonomische Gesichertheit nicht gerade eine nebensächliche Rolle spielt, alles geplant: er will für den Sohn eine Frau *aus der Nachbarschaft, aus jenem Hause, dem grünen.* Es ziert, wie sich's gehört, *die andere Seite des Marktes*, ist bevölkert von drei heiratsfähigen Töchtern — natürlich sind es drei, welch schöne, ordentliche Zahl! —, von denen die älteste schon versprochen ist. Ja, man kennt sich da, wie bürgerlicher Brauch verlangt, ganz genau aus:

> *Schon ist die ält'ste bestimmt, ich weiß es; aber die zweite*
> *Wie die dritte sind noch, und vielleicht nicht lange, zu haben.*

Klug gerechnet, die Lage klar überschaut, mit Voraussicht kalkuliert — und mit Vorsicht, denn wenn's die zweite nicht ist, dann ist's eben die dritte, sie sind ja, am Marktplatz wohlverstanden!, *zu haben*. Man kennt sich, Hermann wird es betonen, von Kindesbeinen an, hat zusammen gespielt, ging hinüber und herüber — da ist nichts Fremdes, Zufälliges, Einmaliges. Warum also nicht, könnte es etwas geben, was regel-rechter vorausgesehen und vorauszusehen ist, zumal doch auch diese Dritte dem jungen Mann durchaus nicht ganz gleichgültig ist?

Die Dritte! Und hier geschieht in Goethes Epos etwas Außerordentliches. Wir erfahren ihren Namen, er fällt innerhalb von 25 Zeilen nicht weniger als dreimal; wie hocherstaunlich in einem Gedicht, in dem außer den beiden Liebenden alle namenlos sind[7], die entscheidendsten Figuren es sich gefallen lassen müssen, vom Anfang bis zum Ende anonym über die Bühne geführt zu werden. Aber bei dem Kaufmannstöchterlein von nebenan, das weder auftritt noch mehr als 25 Zeilen des Gedichts für sich beanspruchen darf, bei ihr wissen wir, weiß Hermann genau, wes Nam' und Art sie ist. Und nun hört unser Staunen überhaupt nicht mehr auf. Denn den Namen der anderen und wahren, den Namen Dorotheas, weiß Hermann offenkundig nicht. An keiner Stelle des Gedichts, an nicht einer einzigen, wird er ihm oder irgendeinem der Mitspielenden genannt, nie anders wird von ihr gesprochen, wird zu ihr gesprochen als unter der Bezeichnung *Mädchen* oder *Jungfrau*. Aber in dem Moment, da der Bund geschlossen ist, in diesem Moment geschieht das Wunder, und Hermann kennt plötzlich den Namen der Geliebten:

> *Desto fester sei bei der allgemeinen Erschüttrung,*
> *Dorothea, der Bund!*

Woher der Name dem Liebenden in diesem Augenblick zugefallen ist, das wissen nur die Götter, eben jene, die dieses Mädchen, das Gottesgeschenk, ihm haben zufallen lassen. Den Namen der anderen aber, des Kaufmannstöchterleins vom Marktplatz, ihn kennt Hermann von der ersten Zeile an, mit der er von ihr spricht. Und wie heißt sie? Sie heißt — ließe sich eine genialere Stimmigkeit denken? — sie heißt *Minchen*: die kleine Liebe, oder sollen wir nicht vielleicht, statt der Etymologie dem Lautklang folgend, hören: das kleine Meine, das Meinchen, das eben, was nicht heimgeführt werden wird, denn heimgeführt werden wird das andere, das Fremde, das aus dem Jenseits Zugefallene. Bürgerlich-idyllisches Epos, Apotheose von Besitz und Habe, in der man sich selbstgenugsam und selbstgefällig abspiegeln kann? — ich gestatte mir, es zu bezweifeln.

Wie nur ganz große Dichtung es vermag, läßt das Epos an entscheidender Stelle das, was es meint und was sein wahrer Sinn ist, als poetisches Bild aus sich heraustreten, nicht als Gesagtes, nicht als Kommentar, sondern als Figur, in der sich die Essenz zu sichtbarer Anschaulichkeit verdichtet. Es gibt nämlich in unserem Gedicht die Stelle, an der das, was Dorothea ist und was die Liebesgeschichte der beiden jungen Leute bedeutet, zur Szene wird. Hermann, das Mädchen heimbringend, schreitet die Treppen, die durch Garten und Weinberg hinunter zum Haus führen, hinab, Dorothea, eine Stufe über ihm, stützt sich im Dunkeln auf seine Schulter. Und da geschieht es, da geschieht die Geschichte. Dorotheas Fuß knackt, und jetzt also fällt sie dem Geliebten wortwörtlich zu, in seinen Arm, der verhindert, daß das ihm Zufallende, das Göttergeschenk, hinfällig werde.

> Eilig streckte gewandt der sinnige Jüngling den Arm aus,
> Hielt empor die Geliebte; sie sank ihm leis auf die Schulter,
> Brust war gesenkt an Brust und Wang an Wange. So stand er
> Starr wie ein Marmorbild, vom ernsten Willen gebändigt,
> Drückte nicht fester sie an, er stemmte sich gegen die Schwere.
> Und so fühlt er die herrliche Last, die Wärme des Herzens
> Und den Balsam des Atems, an seinen Lippen verhauchend.

Das ist im Bild, als Bild die Liebesgeschichte von Hermann und Dorothea.

Wenn aber der Sinn des Gedichts dort liegt, wo wir ihn zu finden glauben, dann haben nicht nur die Spötter unrecht, denen das klassische Kleid nichts anderes ist als eine inkongruente Dekoration, eine Stilmache aus programmatisch gewolltem Kunstbewußtsein. Unrecht haben auch die Enthusiasmierten, die entzückt davon schwärmen, wie echt und natürlich das klassische Kleid dem deutschen Körper anliege, wie glatt und faltenlos es ihm zugehöre, so „als merke man es gar nicht", Klassik und Deutschheit eine nahtlose Einheit. Ich glaube, Goethe will, daß wir es „merken", daß wir es als das Fremde empfinden, ein Fremdes, das uns nicht lieblich, so als wäre es das vertraut Unsrige, eingeht, sondern das uns vor Aufgaben stellt, das uns als Fremdes begegnet und Ansprüche erhebt.

Wenn es je — verzeihen Sie das todgehetzte Modewort! — wenn es je einen Verfremdungseffekt gegeben hat, dann hier, gesteigert in die schillernden Bereiche der Ironie und Parodie. Wir sollen, so meine ich, verständnisvoll distanziert lächeln, wenn wir singen und sagen hören von der *guten, verständigen Hausfrau,* ja mehr als nur lächeln, wenn die Kirchtumsspitze des deutschen Kleinstädtchens sich verwechselt mit Ilions hochgebauter Burg. Ein guter Schuß Ironie wohnt der Imitatio inne, wenn Hermann *das neue bequemliche Kütschchen* anschirrt als handele es sich um den Kampfeswagen, mit dem Achilles sich in das Schlachtgewühl stürzt. Und ist es nicht reine Parodie, wenn die braven Zugpferde, ehrenwerte Klepper, so will ich meinen, die nach mühseliger wochentäglicher Feldarbeit am Sonntag auch mal die Privatkutsche ziehen dürfen, sich im Handumdrehen verwandeln in *mutige Hengste,* ja sogar — und wer könnte sich des Lachens enthalten? — in *schäumende Rosse* [8]? Nein, es ist nichts mit der nahtlos schmiegsamen Synthese von Griechentum und Deutschheit, die dem Leser so „natürlich" eingehen soll, als spüre er es gar nicht. Vielleicht gibt uns eine kleine, ganz nebensächliche Anekdote einen Fingerzeig in dieser Richtung. Bei der Glättung und Normalisierung seiner Hexameterverse hatte Goethe sich der Hilfe zweier gründlich versierter Fachleute versichert, Wilhelm von Humboldts und des jungen Voß, deren Verbesserungsvorschlägen er auch bereitwillig folgte. Da gab es aber im 2. Gesang einen unregelmäßigen Vers, einen Siebenheber, gegen den die orthodoxen Prosodisten energisch protestierten. Aber Goethe zeigte sich halsstarrig, und dem insistierenden Voß gab er, nach dessen Bericht, die laxe Antwort, so möge denn „die siebenfüßige Bestie als Wahrzeichen stehen bleiben" [9]. Als Wahrzeichen! Wofür wohl? Doch wohl nicht dafür, daß der Dichter keine richtigen Hexameter schreiben könne, zumal in einem Falle, wo durch die bloße Auslassung des Wörtchens „und" der Fehler behoben worden wäre. Doch wohl als Wahrzeichen dafür, daß eine gelegentliche Unebenheit nur erwünscht sei, damit der Leser sich stoße und ein Widerstand eingebaut werde, damit das Fremde sich als das Fremde bewahre, das dem glatt eingehenden Vertrauten als ein anderes begegnet.

Es heimzuführen, damit es eine Wohnstatt finde, ist die Aufgabe, von der wir sprachen. Und die andere, vielleicht höhere noch: sich mit ihm zu vergleichen, und im Vergleich mit dem anderen den Weg zu finden zu sich selbst. An früherer Stelle, im „Tasso" ertönte die Mahnung und Forderung, die auch Mahnung und Forderung unseres Gedichtes ist: „Vergleiche dich, erkenne was du bist." Das aber heißt nicht: daß des Menschen Blick behaglich ruhe auf seinem

Eignen, seinem Eigentum, daß er sich seine Münzen vorzähle und wie er's doch so weit gebracht. Es heißt genau das Umgekehrte: daß er sich messe und in Frage stelle, weil nur aus Messung und Frage sich die Antwort ergibt auf den fordernden Anspruch zu wissen, wer denn er sei und was denn sein Eigentum.

Wir werden darüber ausführlicher zu sprechen haben. Aber daß es Goethe in „Hermann und Dorothea" nicht um Selbstbespiegelung, nicht um die unkritische Verklärung einer kleinen Existenz ging, deren selbstgenießerische Tugendhaftigkeit sich im geborgten Licht epischer Größe stolz in die Brust wirft, daß Ziel seines Gedichts ein ganz anderes war, nämlich fordernde und messende Selbstbegegnung, strenge Konfrontation des Menschen mit sich selbst, – das erweist schon die Widmungselegie, mit der er den Leser an seine deutsch-homerischen Gesänge heranführt. Einiges in diesem Pro-ömium hat den Mißverständnissen, denen das Gedicht zum Opfer fiel, Vorschub geleistet; so das im Sinne eines imitatorischen Epi-gonentums aufgefaßte Bekenntnis: *Denn Homeride zu sein, auch noch als letzter, ist schön;* so vor allem die freundliche Verbeugung gegen Johann Heinrich Voß und seine „Luise":

> *Uns begleite des Dichters Geist, der seine Luise*
> *Rasch dem würdigen Freund, uns zu entzücken, verband,*

gegen jenes öd spießbürgerliche Idyll, das nun wirklich, hexame-trisch skandierend, sentimental muffige Geisblattlaubenluft, zärt-lich-geschamiges Liebespalaver, heldenhaft gelieferte Kaffee- und Kuchenschlachten nebst Verzehr voll aromatischer, unter sinnigen Lebensmaximen gesammelter Walderdbeeren mit fromm erbau-lichen, aus greisem Pfarrersmund träufelnden Weisheitssprüchen zu einem heute unerträglichen Potpourri verquirlt. Das war wirklich eitel verklärende Selbstbespiegelung eines – im doppelten Ver-stande – beschränkten menschlichen Raumes, und Goethe hat sich und seinem Gedicht keinen Dienst erwiesen, wenn er es aus Dank-barkeit für das Entzücken, das Luisens harmlos einfältige Welt auch in ihm erweckte, in so ungemäße Nachbarschaft rückte. Schiller hat da schärfer gesehen. Schon nachdem er die frühesten Proben des Goetheschen Gedichtes kennengelernt hatte, konnte er an Körner berichten, „Hermann und Dorothea", erst im Entstehen begriffen, sei „Vossen völlig entgegengesetzt" [10].

Aber wenn auch die Widmungs-Elegie Fingerzeige gibt, die in fragwürdige Richtung weisen können, deutlich genug unterstreicht sie, worum es Goethe mit seinem „bürgerlichen" Epos wirklich ging. Denn die Distichen der Einführungsverse leiten auf das Thema der Selbstbegegnung und Selbsterkenntnis hin, dies schon mit der Wendung: *Deutschen selber führ' ich euch zu,* die doch wohl so verstanden werden muß, daß der Leser im Gedicht nicht einfach Vertrautes und Bekanntes wiederfinden wird, sondern daß er Bekanntschaft schließen soll mit dem, was freilich er selbst ist. Noch deutlicher aber wird diese Absicht in den Versen, mit denen das Proömium endet:

> *Menschen lernten wir kennen und Nationen, so laßt uns,*
> *Unser eigenes Herz kennend, uns dessen erfreuen!*

Was anders ist dieses Distichon als eine Paraphrase des Tassoschen: „Vergleiche dich, erkenne was du bist"? Denn die Freude an dem eigenen erkannten Herzen gründet sich und folgt auf die Bekanntschaft mit den vielen und anderen, Menschen und Nationen, die wir kennengelernt und ohne die der Genuß des Eigenen gar nicht möglich wäre. Aber wir müssen genauer lesen, und dann wird sich ergeben, daß die Zeilen in aufschlußreicher Vieldeutigkeit zu schillern beginnen. Denn wessen eigentlich sollen wir uns erfreuen? Wir wüßten nicht auszumachen, ob des eigenen erkannten Herzens oder der Genugtuung darüber, daß wir viele Menschen und Nationen kennengelernt. Wir wissen es nicht auszumachen, weil der Dichter nicht will, daß wir es ausmachen. Im Eignen erfreuen wir uns des Fremden, und nur am Fremden können wir uns des Eignen versichern.

Es gibt aus späterer Zeit ein Goethesches Maxim, das hier seinen Platz haben möge. Gewiß, es hat auf den ersten Blick keinen Bezug auf „Hermann und Dorothea", jedenfalls keinen ausgesprochenen Bezug. Aber einen deutlichen, wenn auch unausgesprochenen hat es sehr wohl, handelt es doch von der Aneignung Homers, wie solche Aneignung möglich und was von ihr zu erhoffen sei. Hier ist der Text:

Jemand sagte: „Was müht ihr euch um den Homer? Ihr versteht ihn doch nicht." Darauf antwortete ich: „Versteh ich doch auch Sonne, Mond und Sterne nicht; aber sie gehen über meinem Haupte hin, und ich erkenne mich in ihnen, indem ich sie sehe ... und denke dabei, ob wohl auch etwas aus mir werden könnte [11].

Mir scheinen diese Worte als der schönste Kommentar zu dem, wovon wir hier handeln: die ehrfürchtig liebevolle Bemühung um das andere, das Ferne und Polare, dessen Fremdheit sich keineswegs unter dem selbstsicher anmaßlichen Griff auflöst, aber das, gerade als das Fremde angeschaut, das wahrhaft Eigene in den erkennenden Blick treten läßt, in der Hoffnung, daß an solchem Maße das Eigene sich steigere und erhöhe.

So gesehen, ist Habe nicht das, was man hat, sondern das, was man erwirbt in dem Prozeß des Sichvergleichens mit dem anderen und der Erkenntnis im Medium des anderen. Darum ist Besitz, wahrer Besitz, nicht das Stabile, sondern die Steigerung des Überkommenen und Ererbten. Ein kurzer Satz in „Hermann und Dorothea" spricht es aus, die kühnste aller Zeilen, kühn nicht, weil hier die Übernahme des fremden Idioms zu besonders raffiniert frappierender Wirkung käme, — kühn weil das schlicht Vertraute, das bescheiden in der eigenen Sprache Gegebene, über sich hinausstößt ins Gewagte. Ich denke an den Satz Hermanns, die Formel, mit der er sich der Fremden, am Wege gefunden und fest ergriffen, für immer anverlobt: *„Du bist mein; und nun ist das Meine meiner als jemals."* Hier wird Grammatik zu höchster Goethescher Lebensweisheit, und Grammatik selbst wird, so scheint mir, zum Schlüssel des Gedichts. Mein-meine-meiner: dieselbe Form, besitz-anzeigendes Fürwort wird wiederholt — so wie das ganze Gedicht Wiederholung einer einmal gesetzten Grundform war —, aber wiederholt so, daß das Festgehabte sich beugt und verwandelt, verwandelt und vorstößt — in die Steigerung. Ein ganz Neues erscheint in der überkommenen, heimischen Sprachwelt, ein Neues, das es in dem gesteckten Rahmen gesicherten Besitzes eigentlich gar nicht geben kann, daß das, was Eigentum bezeichnet, sich über sich selbst hinausschwingt in seinen eignen Komparativ. Komparativ aber heißt: das was sich vergleicht und das was im Vergleichen sich steigert. Dies, so möchte ich glauben, ist die Geschichte von Hermann und Dorothea: du, das andere, das Polare, wird ergriffen und anverwandelt zum Besitz, aber erst in solcher Anverwandlung wird das Besessene in höherem und echterem Sinne Eigentum.

Aber die Frage, was ist in Wahrheit mein, die Hermanns schöne Anverlöbnisformel stellt und beantwortet, ist unlöslich an jene andere gebunden, ohne die ein Besitz, der mir angehört, weil er mir gemäß ist, nicht gedacht werden kann, die Frage: wer bin ich in Wahrheit, was ist meine Wahrheit? Sein Eigentum erkennen, etwas als sein Eigen erkennen, ist nur dann möglich, wenn man sein Eigenes, wenn man sich kennt und erkennt. So gesehen, muß der Frage nach dem, was man hat, die andere vorausgehen nach dem, was man ist. Dies wäre eine gedanklich vielleicht überzeugende, aber dennoch unerlaubte Forderung, die wir willkürlich an das Gedicht herantrügen, wenn sein Text uns nicht die Berechtigung dazu erteilte. Genau dies aber tut es. Hermanns große Rede, mit der das Epos schließt und sich in die Zukunft hinein öffnet, verquickt unlöslich Bekenntnis zum überkommenen und erworbenen Besitz mit der

Erkenntnis dessen, was und wer er ist, und der Aufgabe, die aus diesem So-Sein erwächst. Dem festen und verantwortungsbewußten Ergreifen des Eigentums — *„Du bist mein"* in der von uns in den Mittelpunkt gerückten Schlüsselzeile und kurz vorher schon: *„Dies ist unser!"* — geht nämlich die Besinnung auf sich selbst, auf das von ihm Abgeforderte voran:

Denn der Mensch, der zur schwankenden Zeit auch schwankend
  gesinnt ist,
Der vermehret das Übel und breitet es weiter und weiter,

und gleich darauf:

Nicht dem Deutschen geziemt es, die fürchterliche Bewegung
Fortzuleiten, und auch zu wanken hierhin und dorthin.

So erscheint als weiteres, als vielleicht höchstes Thema des Gedichts, das von der Anverwandlung des Fremden zum Eigentum handelt, von der Eroberung eines Besitzes, der diesen Namen verdient, die Auffindung und heilende Funktion der Wahrheit, das Durchstoßen aller Prätention und allen falschen Anspruchs, mit dem wir, uns über uns selbst täuschend, den Blick wegwenden möchten von der Härte der uns konfrontierenden Wirklichkeit, genau also das, was man dem Gedicht so radikal abspricht, wenn man in ihm nichts anderes sieht als die auf schön frisierte Glorifizierung einer als gesichert hingenommenen, durch Zweifel nicht beunruhigten Welt. Wie aber könnte dies sein, da doch unsere Erzählung, ehe sich in ihr die Möglichkeit des Fortschreitens, der Konfliktslösung eröffnet, auf zwei Peripetien hinstrebt, die keinen anderen Sinn haben als den, daß einem Menschen, der sich so gern in die leichtere Ausflucht der Täuschung flüchten möchte, der Weg in die Lüge verlegt wird und er, so streng wie liebevoll, angehalten ist, sich ins Gesicht zu schauen und die Wahrheit zu bekennen? Es sind die beiden Umschlagsmomente unseres Gedichts, sie stehen an korrespondierender Stelle, beide dort, wo die Handlung in eine Sackgasse geraten scheint, aus der sie herausfinden muß, wenn anders sie denn ihren Fortgang nehmen kann, zum Guten oder zum Bösen, wir wissen es noch nicht. Es sind die beiden Wahrheitsproben des Gedichts, über die zu sprechen sein wird, der Augenblick, da die Protagonisten sich dem Selbstbetrug entreißen und den falschen Wünschen, die der Selbstbetrug in ihnen hat aufkeimen lassen. Und diesen beiden Peripetien wäre eine dritte beizugesellen, der Moment, wo unbekümmert um die Ent-Täuschung, die solche Wahrheitsprobe nach sich ziehen mag, Hermann entschlossen ist, die Frage zu stellen, die klären

wird, ob sein Wunsch, das Mädchen zu besitzen, mehr ist als eine
schöne Schimäre und befähigt, der Wirklichkeit standzuhalten:

> *Sei es wie ihm auch sei, versetzte der Jüngling ...*
> *Selber geh ich und will mein Schicksal selber erfahren*
> *Aus dem Munde des Mädchens ...*
> *Was sie sagt, das ist gut, es ist vernünftig, das weiß ich.*

Es gehört zu den Formwundern unseres Gedichts, wenn es freilich
auch in einem wahren Kunstwerk keine solche Wunder gibt, daß
diese Worte Hermanns genau am Ende des zweiten Drittels der
Verserzählung fallen, so wie die erste Peripetie genau am Ende des
ersten Drittels steht, die letzte am Schluß, bevor der wirrgeknüpfte
Knoten sich löst zum glücklichen Ausgang. An diesen Scheitelstellen
also, die das Epos fast mathematisch exakt in drei gleich große
Stücke gliedern, siegen der Wille und das Bekenntnis zur Wahrheit.

Wir müssen uns die erste vergegenwärtigen. Gekränkt von den ver-
letzenden Reden des Vaters, der ihm Starrsinn, mangelndes Ehr-
gefühl und den beschämenden Verzicht auf jede höhere Ambition
und weltkluge Selbstförderung vorgeworfen hat, ist Hermann in
den Garten geflüchtet und hier, unter dem Birnbaum, mit Tränen
in den Augen, findet ihn die Mutter. Mit ungewöhnlicher Zungen-
fertigkeit weiß er ihr den Grund seines Kummers darzulegen: die
Not des Vaterlands ist's, die ihn bedrückt, der Siegeszug des alles
verheerenden Feindes, dem Einhalt geboten werden muß, und unverzüglich, ohne auch nur das väterliche Haus noch einmal zu
betreten, wird er, Hermann, sich zu den Kriegern begeben, um
diesen Arm und dies Herz dem Vaterlande zu widmen. Es klingt
bewegend und erhebend, und so auch wird es ihm die Mutter be-
stätigen müssen. Aber die edle Suada endet mit einem Ton, der
mehr verrät als der Redner verraten möchte:

> *Sage der Vater alsdann, ob nicht der Ehre Gefühl mir*
> *Auch den Busen belebt, und ob ich nicht höher hinauf will.*

Trotz also ist es, die hohe vaterländische Begeisterung nichts anderes
als ein Aus- und Abweichen von sich selbst, falscher Anspruch und
Prätention, und all dies wird ihm die Mutter auf den Kopf zusagen:

> *Sohn, was hat sich in dir verändert und deinem Gemüte,*
> *Daß du zu deiner Mutter nicht redest wie gestern und immer,*
> *Offen und frei, und sagst, was deinen Wünschen gemäß ist ...*
> *... ich tadle dich nur, denn sieh, ich kenne dich besser,*
> *Du verbirgst dein Herz und hast ganz andre Gedanken.*

So zur Rede gestellt, bleibt Hermann nichts übrig als zuzugeben, er sei

> *auf halbwahren Worten ertappt und halber Verstellung . . .*
> *Worte waren es nur, die ich sprach: sie sollten vor Euch nur*
> *Meine Gefühle verstecken, die mir das Herz zerreißen.*

Versteckte Gefühle, verborgenes Herz, halbe Wahrheit und halbe Verstellung; Betrug am andern, aber schlimmer noch Betrug an sich selbst; Flucht hinter die edle Maske, von der man weiß, daß sie Lob und Zustimmung der Welt finden wird, vom Vater angefangen bis hin zur öffentlichen Meinung — dies die seelischen Niederungen, in die Hermann sich verloren hat, und aus denen nur das Bekenntnis zur Wahrheit herausführen wird. Es ist das Bekenntnis seiner Liebe zu dem fremden Mädchen, und weil Liebesbekenntnis imstande, ihn, der wirklich verloren schien — nicht umsonst hat die Mutter ihn so ängstlich suchen, so häufig, *zwei- auch dreimal*, rufen müssen — zurückzuführen in den Kreis der Liebenden, ins Haus, das je wieder zu betreten er in seiner Selbsttäuschung verschworen hatte, zurückzuführen schließlich zu sich und seiner Geschichte, vor der zu den Kriegern zu desertieren er im Begriff stand.

Wenn dies Hermanns ernsteste Stunde und Prüfung ist, schwerlich vergleicht sie sich mit dem Schmerzensweg, auf dem Dorothea *ihr* Durchbruch in die Wahrheit gelingt. Hier, in dem Aufbau der letzten Scheitelstelle, dem Einschub der Hürde, die genommen werden muß, ehe der Liebesbund geschlossen werden kann, liegt Goethes ganz eigene, ganz ihm eigentümliche Erfindung, durch die die treuherzig biedere Anekdote, aus der der Dichter den Stoff für sein Epos schöpfte, ihr unverwechselbar Goethesches Gesicht bezieht. Wie sehr auch Goethe die kleine Gazetten-Notiz über „Das liebthätige Gera gegen die Salzburger Emigranten" aktualisiert und vertieft hat, wie sehr er den kurzen Bericht von kaum mehr als einer Seite mit Charakteren, Lebensbildern und Bedeutungen bereichert hat, dem naiv unkomplizierten Handlungsverlauf von dem zufälligen Sich-Finden zweier junger Menschen, dem vorübergehenden Widerstand des besitzesstolzen Vaters, der vermittelnden Intervention durch den Pfarrherrn und weitere Freunde und der schließlich glücklichen Heimführung des Emigrantenmädchens — all dem ist Goethe treulich gefolgt. Gefolgt auch noch der kleinen spannungserzeugenden Schlußpointe, daß der schüchterne junge Mann die Vertriebene unter dem Vorwand, sie solle als Magd in der Wirtschaft dienen, ins Haus bringt, und daß der Vater in Unkenntnis dieses Vorwandes den Empfang der Braut trübt, weil sie sich verspottet meint, wenn er sie, die doch nur Magd zu sein glaubt, als Schwiegertochter begrüßt. Der Knoten, wie kindlich einfältig er auch sein mag, ist geschürzt, ein knappes Wort der Aufklärung kann genügen, um als schnell zugreifender *deus ex machina* die Verwirrung zu lösen. So auch geschieht es in der Anekdote, die Goethe als Quelle diente — und so eben geschieht es in unserem Gedicht nicht. Das klärende Wort wird nicht gesprochen, der *deus ex machina* bleibt hinter Wolken verborgen, denn jetzt ist die Szene errichtet, auf der zuerst das Schauspiel von Selbsterkenntnis und Selbstbekenntnis abrollen muß. Vergeblich wendet sich Hermann hilfesuchend an den Pfarrer, *daß er ins Mittel sich schlüge, sogleich zu verscheuchen den Irrtum.* Aber es ist nichts mit diesem „sogleich":

Eilig trat der Kluge heran . . .
Da befahl ihm sein Geist, nicht gleich die Verwirrung zu lösen,
Sondern vielmehr das bewegte Gemüt zu prüfen des Mädchens.

Sein Geist — so hören wir. Aber was hier sein Geist heißt, ist uns ein vertrauter Geist, Geist der Erzählung, Geist des Erzählers, und wir fühlen uns an eine andere Geschichte gemahnt, wo dieser Geist dieses Erzählers schon einmal am Werke war. Auch da wurde uns eine überlieferte Geschichte getreulich nacherzählt — wir wollen ihren Namen noch nicht nennen —, auch da ging es um die Heimführung eines geliebten Wesens, das seinem Boden entrissen war, verschlagen in die Verbannung, und das heimgeholt werden mußte, damit in einem öden Haus neues Leben erwachen könne. Auch da stand, als Heimkehr und Errettung aus dem Elend der Fremde schon gelungen schienen, alles auf des Messers Schneide; Vorwand, Täuschung und Vexierkunst hatten einen Knoten geschürzt, der nur dadurch gelöst werden konnte, daß der *deus ex machina* aus den Wolken trat und mit klärendem Wort, so schnell wie befehlerisch, Streit und Verwirrung aus dem Wege räumte, damit die Heimholung geschehen könne. So erzählte es die Quelle — und so eben erzählte Goethe es nicht. Eingesetzt hat er für den bequemen, von außen kommenden Machtspruch, der das Dunkel wegwischt, den Moment der Agonie, in dem das *bewegte Gemüt . . . des Mädchens* geprüft wird; in dem, koste es, was es wolle — und der Preis mag Untergang sein, Ende aller Hoffnung, je wieder das eigene Haus mit Leben zu füllen — die Wahrheit ans Licht tritt, weil nur die Wahrheit, nur das aus der Tiefe des Herzens hervorgetriebene Bekenntnis Unterpfand sein kann für glückliche Heimkehr, Menschenbund und neues Leben.

Erkennen wir die Geschichte? Aber wir sprechen nicht von ihr — wir sprechen von Dorotheas, obwohl wir mit der einen auch von der anderen sprechen. In der Zeit, die der Pfarrer ausgespart hat, indem er das lösende Wort noch nicht ausspricht, ereignet sich, in der traulichen Bürgerstube eines deutschen Kleinstädtchens nicht weniger als auf der Insel der Taurier, die Apotheose eines großen Herzens. Unter falschen Zeichen sollte sich die Heimführung vollziehen; was schlimmer ist: Dorothea hat sich — gewiß aus Liebe so wie die andere auch — der Verstellung schuldig gemacht, sie folgte dem trügerischen Vorschlag, weil er die schönsten Wünsche und Hoffnungen der Erfüllung nahezubringen schien. Und damit ist sie, nicht anders wie Hermann unter dem Birnbaum, schuldig versteckter Gefühle, verborgenen Herzens, halber Wahrheit und halber Verstellung; denn heimlich wollte sie mehr als das Magdtum, den Vorwand, unter dem sie die Schwelle des Hauses betritt. Sie wollte den Geliebten, sie täuschte sich und ihn mit der schmeichelnden Erwartung, sie werde eines Tages dem Hause mehr sein als nur die Dienerin. Aber im entscheidenden Moment sagt ihr Herz, ganz wie das der anderen, nein zu der Lüge, auf die sie sich eingelassen. Sie wird, so wie die andere, die Wahrheit sprechen, das Netz aus Betrug und Selbstbetrug zerreißen, Bekenntnis ablegen von ihrem schuldig-unschuldigen Komplizentum.

Agonien werden gelitten, so sagten wir, wenn der Augenblick des Geständnisses naht. Ich glaube nicht, daß das Wort zu hoch gegriffen ist für das schlichte Dorfmädchen, das, ein armseliges Bündel über der Schulter, das Haus des brummigen beschränkten Löwenwirtes betritt. So wie die andere, die sich in den Höhenbereichen der Menschheit bewegt, weiß sie, daß der Preis, den die Wahrheit ihr abverlangt, ein äußerster sein wird. Ja, ihre Lage scheint noch hoffnungsloser als die der anderen. Denn die andere, Iphigenie, darf hoffen, daß, wie furchterregend auch die Gefahr, die die ausgesprochene Wahrheit heraufführen mag, der König den Weg freigeben wird zu Heimkehr und großer Versöhnung. Dorothea hat solche Hoffnung nicht. Sie glaubt, daß mit dem Bekenntnis ihrer verheimlichten Liebe ihr Glück für immer zerstört ist, daß es kein Heimfinden geben kann sondern nur die Rückkehr in das Elend des Vertriebenseins:

Und ich gehe nun wieder hinaus, wie ich lange gewohnt bin,
Von dem Strudel der Zeit ergriffen, von allem zu scheiden.
Lebet wohl! Ich bleibe nicht länger; es ist nun geschehen.

Iphigenie und Dorothea — mögen Welten sie auch trennen, sie erweisen sich als Schwestern in ihrer schwersten Stunde, die, weil sie die Stunde der Selbsterkenntnis und des Selbstbekenntnisses ist, durchstanden im vollen Bewußtsein des Einsatzes, den solches Geständnis verlangt, zu ihrer höchsten werden soll. Ist es Zufall, daß die beiden Namen verschwistert sind durch ihre rhythmische Kadenz, durch parallele Vokalanordnung, mit dem e-Laut als dem schweren Akzentträger, dem in dem einen Falle der verdoppelte i-Schlag, in dem andern der verdoppelte o-Schlag vorangehen? Iphigenie — Dorothea: es ist als reichten sich die Klangfiguren über weite Entfernungen die Hand. Aber der Entsprechungen — wir haben sie im größeren Entwurf schon benannt — sind noch mehr. Was Goethe für seine „Iphigenie" erfinden mußte, damit der Sinn der Geschichte, so wie er ihn faßte, ins Licht treten konnte — das bot ihm die einfältige Anekdote von der Heimführung eines Salzburger Emigrantenmädchens fertig an; und wir sollten uns wundern, wenn der Dichter das Motiv nicht wiedererkannt und auch darum die kleine Zeitungsnotiz so freudig ergriffen hätte. In beiden Fällen nämlich wird, das eine Mal durch Mißverständnis, das andere durch Verlegenheit, zuerst Anstalt getroffen, das falsche „Bild" heimzuholen: im Taurerland das Bild der Göttin, im deutschen Kleinstädtchen das Bild der Magd. Erst wenn der Mensch, Iphigenie hier, Dorothea dort, den Mut zur Wahrheit gefunden hat, fällt alles Falsche dahin, rückt alles Schiefe ins Lot. Dann erst und nur dann geschieht Epiphanie, enthüllt sich der Sinn, den die oberst Leitenden von allem Anfang an gemeint hatten: nicht das tote Götterstandbild, sondern die lebendige Schwester, nicht die ver-dingte Magd, sondern die lebensträchtige Frau und Geliebte.

Und noch eine andere Verbindung, von der ich nicht glauben kann, sie sei ohne Bedeutung und zufällig. In dem Zitat, das ich soeben angezogen habe, steht die Abschiedsformel „Lebet wohl!" Wir kennen sie; es ist der wahrhaft herzzerreißende Segensgruß, mit dem Thoas sich von seiner Priesterin und Geliebten trennt. Gewiß, der Akzent ist verschoben, in des Königs Mund Lautwerden der höchsten Versöhnung, in Dorotheas schmerzensreiche Preisgabe alles erhofften Glückes. Aber undenkbar scheint es mir, daß der Dichter, nachdem er einmal diese Formel als höchste Krönung des Dramas vom Sieg „der Wahrheit und der Menschlichkeit" eingesetzt hatte, sie je wieder niederschreiben konnte, ohne daß der tiefe Sinn, den er ihr eingeprägt hatte, sich neu belebte.

Sei dem, wie ihm wolle — der Sinn, der Iphigeniesche Sinn belebt sich neu. Nicht weniger als an den taurischen Gestaden ertönt hier „die Stimme der Wahrheit und der Menschlichkeit"; und so wie dort im Zentrum — genau im mathematischen Zentrum des Versdramas — der fordernde Aufruf stand: „Zwischen uns sei Wahrheit!", so hier in der Verserzählung die harte Selbstprüfung eines reinen Herzens, das weiß, es könne Heimkehr nicht erkauft werden um den Preis des Betrugs und der Verstellung, und es wäre besser, auf alle

Geborgenheit zu verzichten, ehe denn ein schützendes Dach zu finden, *die stillen Wünsche verbergend*. Nur wenn die unerbittliche Forderung: „Sprich und bekenn" gehört wird, nur wenn, die eigene Wahrheit und die Wahrheit der Lage erkennend, alle Schlupfwinkel ausgeräumt sind, in denen die schmeichelnden und Behagen versprechenden Täuschungen eine Zuflucht fanden, nur dann kann das Wunder geschehen, daß die radikale Ungesichertheit, der man sich ausgesetzt hat, umschlägt in das segnende „Lebt wohl!", mit dem „Iphigenie", in das verheißungsvolle *Frieden*, mit dem „Hermann und Dorothea" endet. In aller Öffentlichkeit und Offenheit wird hier gesprochen und bekannt: *Alles das hab ich gesagt, damit ihr das Herz nicht verkennet"* — so heißt es jetzt, und gleich darauf noch einmal: *„Aber das sei nun gesagt."* Ja, mehr noch wird Dorothea sagen, jedes Geheimnis ihres Herzens preisgeben, die Geschichte ihrer ersten Liebe und des ersten Verlöbnisses, damit alles am Tage liege, das Gemüt in der Prüfung reingewaschen sei und darum offen für die antwortende Stimme: *Du bist mein!*, Inbesitznahme, durch die jeder Besitz — *meiner als jemals* — sich neu wägt und steigert.

Ist es nicht ein groteskes Mißverständnis, daß ein Gedicht, das in dem alles wagenden Vollzug der Wahrheitsfindung gipfelt, Findung der eigenen Wahrheit und der Wahrheit der Lage, in die ein höheres Geschick den Menschen geführt hat, von den Nachfahren gelesen werden konnte als die Verherrlichung kleinbürgerlichen Biedersinns, und sich von den Heutigen verschmäht findet als ein hohles, rostzerfressenes Denkmal, besonders lachhaft, weil es in edel geschürztem Ewigkeitsgewande posiert? Nein, das Griechische „Hermann und Dorotheas" ist kein Gewand, weder ein komisch anachronistisches noch ein geschmackvoll und geschmäcklerisch erhöhendes. Es ist hier, wie immer bei dem „klassischen" Goethe, die Aura und das Medium, in dem das rein Menschliche, das Menschliche rein erscheint. So hat es, kaum hatte Goethe das Werk beendet, sein klügster Kritiker sofort erkannt. In einem Brief an den großen Freund schreibt Schiller, was in dem Epos erscheine, sei „das Nackende der menschlichen Natur ... durch den völlig erschöpften Kreis menschlicher Gefühle" [12]. Und damit hatte er Goethe und sein Gedicht wahr erfaßt. Denn schon während der Arbeit an „Hermann und Dorothea" hatte Goethe dem Kunst-Meyer gestanden: „Ich habe das reine Menschliche der Existenz einer kleinen deutschen Stadt in dem epischen Tiegel von seinen Schlacken abzuscheiden gesucht und zugleich die großen Bewegungen und Veränderungen des Welttheaters aus einem kleinen Spiegel zurückzuwerfen getrachtet" [13], und später an denselben Adressaten: „es wird die Frage sein, ob Sie unter dem modernen Kostüm die wahren echten Menschenproportionen und Gliederformen anerkennen werden."[14] Wie seltsam, in wie sonderlichem Licht erscheint Goethe hier sein eigenes Werk! Jetzt ist ihm nicht das Griechische das Kleid, das er dem modernen Körper angezogen, sondern die Materie ist das Kostüm, an dem die wahren Proportionen und Formen, eben das, was Griechentum als unverlierbares Menschentum bot, sich abzeichnen. Das Äußere ist das Innere, das Innere das Äußere; denn auch dieses Vergängliche — und wie vergänglich wußte er es! — ist nur ein Gleichnis.

Wenn es so ist, wenn „Hermann und Dorothea" das Lied von der Wahrheit des Menschen singt, wenn es uns nicht einlädt zu behaglichem Ausruhen auf dem einmal Eingescheuerten, wenn es uns mehr als einmal versichert: Erntetag ist — morgen, wenn sein ganzer Sinn darauf hinzielt, daß in der kleinen Umfriedung, in der wir leben, liebend Raum geschaffen werde für das, was entwurzelt auf der weiten Landstraße dahintreibt, ist es dann nicht angemessen, daß wir es selbst, mag es auch fremd geworden sein in Ort und Zeit, heimführen und ihm wieder Wohnstatt geben in unserem Haus, ganz im Sinne der Rilkeschen Worte, die mir recht eigentlich auf dieses Gedicht gemünzt scheinen:

Wir sind die Erben, trotzdem, dieser gesungenen Gärten.
Freunde, faßt sie im Ernst, diese besitzende Pflicht!
Was uns, als letzten vielleicht, glückliche Götter gewährten,
Hat keinen ehrlichen Platz in dem zerstreuten Verzicht[15].

BRENTANOS SPÄTFASSUNG SEINES MÄRCHENS VOM FANFERLIESCHEN SCHÖNEFÜSSCHEN

Erschafft mich die Welt oder ich sie?
(„Godwi", Widmung zum zweiten Teil, II, 218[1])

Als im September 1812 Achim von Arnim den Brüdern Grimm berichtete (III, 1066 f.), Clemens Brentano arbeite jetzt wieder an seinen Märchen — ein Bericht, nicht ganz frei übrigens von Besorgnis und Vorbehalten, weil ihm „die Art eitler Koketterie, mit einer gewissen Fertigkeit in allerlei poetischen Worten zu prunken" kein „großes Behagen" bereite — erhielt er von Jacob eine Antwort, die uns, als von dem treuen Bewahrer alten Volksgutes kommend, kaum erstaunen wird: „Über Clemens' Kindermärchen sollte ich an sich nicht urteilen, da ich nie etwas davon gehört oder gelesen habe; ich vermute nur, daß sie mir nicht gefallen werden ... Sein Buch scheint mir daher im voraus eine Befleckung der Kinderwahrheit ... Es giebt böse Formen, und dies verdammt mir ... Clemens' Märchenbearbeitungen, in welchen er sonst Neues und Eigentümliches gesagt haben wird, wie ich nicht leugne, sondern nur beklage" (29. X. 1812). Eine solch hellsichtige Kritik, die der Vertrautheit mit dem Gegenstande nicht bedurfte, um ein treffendes Urteil zu fällen, kann uns nicht überraschen, da Jacob Grimm seinen Freund Clemens und seine „Bearbeitungen" der Volkslieder in „Des Knaben Wunderhorn" gut genug kannte, um zu wissen, daß es ohne Eigentümliches (und wir wollen das Wort in seinem genauen Sinne verstehen) nicht abgehen werde, woran auch immer der Freund seine Hand anlegen möge. Überraschend aber sind so harte Ausdrücke wie „Befleckung", „verdammen", „böse Form", die aus anderen, aus tieferen Gründen kommen als denen der Unstimmigkeit und des Streites über die Angemessenheit oder Unangemessenheit bestimmter Arbeitsmethoden. Ein Ethisches wird hier aufgerufen, moralische, menschliche Werte vor Gericht gestellt, und es wird die Frage um eine literarische Bemühung nicht ausgerichtet auf passend oder unpassend, auf richtig oder falsch, sondern auf sündhaft oder unschuldig, auf befleckt oder rein, auf verdammt oder erlöst.

Mit dieser Verurteilung hatte Jacob Grimm, ohne es ahnen zu können und sich berufend auf einen nur bescheidenen Ausschnitt Brentanoscher Hervorbringungen, den Finger auf des Dichters

Lebensnot und Lebenswunde gelegt, auf jene „böse Form" seines Wesens, das er selbst bald in so hohem Maße als befleckt und sündhaft empfinden sollte, daß nur die strengste Hinwendung zum Religiösen, der Verzicht auf alles Neue und Eigen-tümliche, das hemmungslos wie eine Sturzflut aus ihm als Dichtendem hervorgebrochen war, die Rettung vor ewiger Verdammnis bieten konnte. Seine Konversion sollte ihn erlösen von allem Neuen und Eigentümlichen, bis er nur noch ein Medium geworden wäre, durch das sich die fromme „Kinderwahrheit" aussprechen würde: die Visionen der stigmatisierten Nonne, „Das bittere Leiden unsers Herrn Jesu Christi", „Das Leben der heiligen Jungfrau Maria" [2]

Es entbehrt nicht einer gewissen Ironie, daß nun gerade die Märchen, die Jacob Grimm von dem Schicksalsfluch des Dichters gebrandmarkt sah, den alten Brentano, der allem Bösen abgeschworen hatte, zu beschäftigen nicht aufhörten, daß er sich ihnen in seinen letzten Jahren, nachdem er seine gesamte poetische Produktion und Existenz längst als eitel verworfen hatte, wieder zuwandte. Das heißt nicht, daß nicht auch sie dem großen Bannstrahl verfallen waren, daß ihn nicht, wenn immer sie wieder in sein Blickfeld rückten, der „Ekel" ergriffen hätte — dieses Wort erscheint mehr als einmal, wenn er von ihnen spricht —, daß er vor einer veritablen Szene zurückgeschreckt wäre, als sein Freund Johann Friedrich Böhmer um die Jahreswende 1826/27 ohne seine Erlaubnis ausgewählte Proben der „Rheinmärchen" anonym in der Frankfurter Zeitschrift „Iris" veröffentlichen ließ. Aber etwa zehn Jahre später machte er sich daran, zwei seiner „Italienischen Märchen" gründlich zu überarbeiten, ja die sehr erweiterte „große" Fassung von „Gockel, Hinkel und Gackeleia" gab er sogar zum Druck frei (1838) [3], eines der ganz wenigen nicht-religiösen Stücke, die er seit den Tagen seiner Bekehrung an das Licht der Öffentlichkeit hat treten lassen.

Wir können nur darüber spekulieren, was es gewesen sein mag, das ihn ein Jahrfünft vor seinem Tode zu den Märchen zurückführte. Vielleicht ist es wirklich das neue und letzte große Liebeserlebnis, der Kampf um Emilie Lindner [4], der die Tore zum Reich der ebenso überwältigenden wie suspekten Phantasie, die er sich als Gottesdiener verboten hatte, wieder öffnete. Daß es grade die Märchen waren, mag als eine rührende Geste gelten, mit der der aufschreiende und in einem neuen Sünden-Frühling versinkende Knecht sich wie mit einem Schutzwall umgab. Die Gattung als solche, für unschuldige Kinder gemeintes Fabulieren, konnte vielleicht dem Dichtungsstachel sein Gift nehmen und Clemens bei allem sündigen Ab- und Rückfall Treue bewahren lassen zu dem Bekenntnis, mit dem er in seinem schönsten Gedicht die enorme Erweiterung seines „Gockel"-

Märchens beendet hatte, und mit dem er, rückblickend auf sein verwildertes Leben, Gnade erhoffte für sein ruchloses Dichtertum:

> *Was reif in diesen Zeilen steht,*
> *Was lächelnd winkt und sinnend fleht,*
> *Das soll kein Kind betrüben.*

Vielleicht ist es auch kein Zufall, daß er sich gerade den „Italienischen Märchen" wieder zuwandte, denen gegenüber er sich nur als Übersetzer fühlen konnte, obwohl freilich die zwei Stücke, die er jetzt wieder aufgriff, die „Gockel"-Geschichte und die vom Fanferlieschen Schönefüßchen die beiden sind, die sich von der nur zu „übersetzenden" Vorlage, Giambattista Basiles „Lo Cunto de li Cunti", bis zur Unkenntlichkeit unterscheiden.

Wenn wir nun im folgenden den Versuch machen, die späte Bearbeitung des Märchens vom Fanferlieschen Schönefüßchen mit der frühen Fassung[5] zu vergleichen, dann keineswegs in der Absicht, einen charakteristischen und besonderen Altersstil Brentanos herausdestillieren zu wollen, den Bruch zwischen dem Dichter und dem Konvertiten aufzureißen, einen Bruch , den ja, als unversöhnliches Auseinanderklaffen der beiden Lebenshälften, die jüngere Brentano-Forschung mit Recht in Abrede stellt. Es steht nur zu hoffen, daß ein Blick auf ein Altersprodukt Brentanos Licht werfen kann auf das, was zu allen Zeiten sein „Eigentümliches" war, auf die Quellen, aus denen früh wie spät seine Dichtungsweise und sein Dichtungswesen sich speisten, jene Untiefen, von denen noch jüngst behauptet wurde, daß gerade der Märchenerzähler Brentano in seiner unbekümmerten Spontaneität sie nicht zur Schau stelle[6]. Kein Neues also wird vorgebracht werden, schon gar nicht die Behauptung, daß der alte Dichter mit seinen Umarbeitungen der von Jacob Grimm beschworenen „Kinderwahrheit" näher gekommen sei — nichts Unkindlicheres und Künstlicheres als die Märchen Brentanos, deren eigentliche Impulse einem Kind ebenso fremd wie unverständlich sein müssen[7] —, sondern nur die Hoffnung, daß das immer schon Waltende in dem Altersunternehmen sich bewußter und richtungsklarer erhelle.

Beim ersten Blick fällt auf, daß die Erweiterung des Märchens auf den genau zweieinhalbfachen Umfang hauptsächlich dem Anfang des Erzählten zugute kommt. Es konnte Brentano bei erneuter Durchsicht nicht entgehen, daß sein Märchen vom Fanferlieschen Schönefüßchen alles andere war als ein Märchen vom Fanferlieschen Schönefüßchen. Was es in seiner ursprünglichen Form erzählt hatte, war die Geschichte des bösen Königs Jerum aus dem Reiche Skandalia, der, statt in seiner Hauptstadt Besserdich zu regieren, sich an dem von der Bevölkerung festlich begangenen Todestage seines Vaters, des guten Fürsten Laudamus, jedesmal auf sein Jagdschloß Munkelwust zurückzog, dort übel hauste, zahllose junge Edelfräulein heiratete, nur um sie nach kürzester Ehe aus Gier nach ihrem Besitz vor dem schauerlichen Standbild des Pumpelirio Holzebock zu ermorden, ohne ihnen auch nur ein christliches Begräbnis zu gönnen. Die letzte in dieser Reihe unglücklicher Opfer ist Ursula von Bärwalde, die freilich im kritischen Moment durch die Intervention einer befreundeten Vogelsfamilie vor dem mörderischen Ritual bewahrt bleibt, für tot in einen Turm eingemauert wird, in dem dann ein Volk zahlloser gefiederter Bundesgenossen sie am Leben erhält, ihr bei Geburt und Erziehung des Söhnlein Ursulus auf das geschickteste beisteht, bis der Knabe nach Jahren als Küchenbub in das Jerumschloß eingeschwärzt werden kann. Von da aus steigt er sehr bald zum Lieblingspagen seines ahnungslosen Vaters Jerum auf, führt den verstockten König allmählich auf den Weg der Einsicht und Reue, vereitelt die Ränke von Jerums bösem neuem Weib Würgipumpa, kämpft heldenhaft gegen den blutrünstigen Dämon Pumpelirio Holzebock und kehrt als neuer Herrscher nach dem Tode seines entsühnten Vaters und der Befreiung der Mutter aus ihrem Turm nach Besserdich zurück, nicht ohne vorher die Tochter der Vogelsfamilie, die natürlich alle in Tiere verwandelte Menschen sind, geheiratet zu haben.

Aber wer auf aller Welt ist denn nur diese seltsame Jungfer Fanferliesschen? (III, 938), so sind wir geneigt, mit dem in der Umarbeitung eingeführten Erzähler zu fragen. In der ursprünglichen Fassung haben wir wenig genug über sie erfahren[8]. Nur auf den ersten zehn Seiten der alten Version wurde sie uns als die weise und wohltätige Beraterin des guten verstorbenen Königs Laudamus vorgestellt, jetzt im Alter ein ständiger Dorn im Fleische des verkommenen Jerum, der sie an den Stadtrand seiner Residenz verbannt hat, wo sie nun, von der Bevölkerung hochverehrt, ein Erziehungsinstitut für allerlei Getier, darunter auch die junge Bärin Ursula von Bärwalde, unterhält, die natürlich nichts anderes sind als von ihr in Tiere verwandelte junge Edelfräulein und -herren, denen der böse Jerum, um sich an ihrem Besitz zu bereichern, nach dem Leben trachtete. Dann, als der Schauplatz des Märchens sich nach Munkelwust verlagert, bleibt sie nur als der gute Geist gegenwärtig, an den Ursula in ihrer Not denkt, als das quälende schlechte Gewissen, das sich Jerums immer wieder bemächtigt, bis sie dann am Schluß, von einer letzten Tücke Würgipumpas bedroht, noch einmal auf dem Schauplatz erscheint, nur um schließlich, nachdem Ursulus den teuflischen Anschlag der bösen Königin zuschanden gemacht hat, beim Einzug des jungen Herrscher- und Liebespaares in Besserdich für immer *durch die Lüfte davon* zu fliegen (III, 438).

Schon um des Gleichgewichtes willen, so könnte man meinen, mußte Fanferlieschens Geschichte also eine Erweiterung erfahren, obwohl wir dieser äußerlichen Erwägung schon deshalb kein entscheidendes Gewicht beimessen werden, weil ja kaum je ein Autor das Gleichgewicht einer Geschichte so empfindlich gestört hat, wie es Brentano bei der späten Neufassung des „Gockel"-Märchens durch die Hinzudichtung der „Herzlichen Zueignung" und das angehängte „Tagebuch der Ahnfrau" fertig gebracht hat. Nicht also an einer besseren Balance des Erzählstoffes mochte ihm gelegen sein, wenn er jetzt bei der Umarbeitung die ganze Lebensgeschichte Fanferlieschens aufrollte, angefangen von der Auffindung des Kästchens, in dem das Baby nebst der Schürze Femoralia und den Goldpantöffelchen Sandalia verborgen ist, bis hin zur feierlichen Absetzung des Königs Jerum durch Fanferlieschen, nachdem er am Vorabend der großen Prozession zum ehrenden Angedenken an Laudamus die Stadt verlassen und noch schnell beim Vorbeireiten an Fanferlieschens zoologischem Institut der lieben Bärin Ursula das Ohrläppchen mit einem Pfeil durchschossen hat. Da nun die ganze Lebensspanne Fanferlieschens ausgebreitet wird, müssen auch Vorgeschichte und Regierungzeit des Königs Laudamus nachgeholt werden, der an demselben Tag das Licht der Welt erblickt, an dem die Königin-Mutter das Kästchen mit Fanferlieschen findet. Und auch die Königin-Mutter erscheint im Vordergrund der Erzählbühne, von der Geburt des Söhnleins Laudamus an bis zu ihrem seligen Abscheiden, an welchem Tag Laudamus, unterstützt von Fanferlieschen, die Regierungsgeschäfte übernimmt.

Damit aber haben sich gegenüber der Urfassung nicht nur die Gewichte zugunsten Fanferlieschens verlagert, sondern unser Märchen hat eine ganz neue Perspektive erhalten, eine Perspektive im ganz wörtlichen Sinne. Denn es ist ja nicht so, daß das Märchen jetzt einfach um eine oder gar zwei Generationen früher einsetzt. Es beginnt genau so, wie es ursprünglich begann: *Es war einmal . . . ein König, der hieß Jerum* (III, 386 & 931), und in beiden Fällen ist die erste Szene, der wir beiwohnen, die gleiche: der Ausritt des bösen Königs von Besserdich nach Munkelwust am Vorabend des Trauerfestes. Die ganze ausführliche Vorgeschichte also, die Regierungszeit der Königin-Mutter, die Auffindung der Schachtel mit Fanferlieschen, die Geburt und Lebenszeit des Königs Laudamus — all dies wird nachgeholt, hervorgeholt aus einer versunkenen Zeitschicht, in die wir an der Hand des Erzählers hinuntersteigen müssen, bis wir wieder zu der eigentlichen Erzählebene zurückkehren können, auf der sich die wüsten Untaten Jerums, das bittere Schicksal der Bärin Ursula und das glückliche dénouement abspielen sollen.

Dieser bewußte und bewußt gemachte Zeitperspektivismus, der jedem echten Märchen gewiß fremd wäre, bewirkt nun, daß der am Anfang verdeckte Ursprung deutlich wird, daß wir uns in eine Vor-Zeit zurücktasten, die hinter der Vergangenheit des „Es war einmal" lebendig ist. Daß wir uns damit an einem Zentralpunkt romantischen Denkens befinden, kann und muß hier nicht dargelegt werden [9]; wohl aber ist darauf zu verweisen, daß Brentanos Märchen in ihrer Gesamtheit darauf angelegt sind, zu jener Urschicht, die hinter dem „es war einmal" liegt, zurückzuführen, und daß eben gerade die Spätfassungen vom „Gockel" und vom „Fanferlieschen" diese Zeitstrukturierung in den Mittelpunkt rücken. Kein Zufall, daß dem „Gockel"-Märchen bei der großen Umarbeitung ein „Tagebuch der Ahnfrau" angehängt wird, daß Brentano ihm eine Zueignung voranstellt, die an das *liebste Großmütterchen* gerichtet ist, und deren Inhalt darin besteht, daß der Dichter sich zurückversetzt in seine Vor-Zeit, die Kinderjahre und das Land Vaduz, das Reich der Präexistenz, wo das wahre Leben noch zu Hause ist, bevor es in die Geschichte — in des Wortes doppeltem Sinne — hinausgestoßen wird. Das ist nicht nur die Bauform des Märchens, sondern das ist das Märchen: „ein Dasein, das auf einer so vollständigen und in allen Teilen durchsichtigen Vergangenheit ruht." [10] Es geht zurück zum *Weltei*, das im „Gockel"-Märchen eben nicht einfach ein närrischer Einfall à la Brentano ist, sondern gerade jene „Untiefe", die das Märchen trotz des Widerspruchs uneinsichtiger Leser zum Märchen macht.

Zurück zum Weltei — oder um im Umkreis unserer Geschichte zu bleiben: hinunter zu den Müttern, ja genauer genommen zu den Großmüttern und Ahnfrauen — das geht von den „Rheinmärchen" über die Erzählung vom braven Kasperl bis zur „Herzlichen Zueignung" —, die das Leben, das sich entfalten will und soll, in sich tragen. In ihnen wohnt die „Geschichte", ehe sie noch aus Vaduz in die Welt tritt, an ihnen hängt, als an den großen Mütterlichen, alles Schicksal, und dies nicht nur für Kasperl und Annerl, sondern für unser Märchen gleichermaßen. Denn daß Jerums Großmutter, bis zu der wir jetzt in der Überarbeitung heruntersteigen, so löblich und fürsorglich war, macht, daß ihrem Sohn Laudamus zugerufen werden wird. Da dessen Frau statt einer Sandalia Femoralia leider eine Skandalia Immoralia war, wird ihr Sohn ein Jerum sein, weil sie mit diesem Schreckensausruf verstarb, als man den Neugeborenen in ihre Arme legte. Und alle Not wird aus der sündhaften und mörderischen Welt geräumt werden, weil das fromme Bärenfräulein Ursula ihr Söhnchen so erzogen hat, daß er gegen alles Verruchte und lügnerisch Ausschweifende zum Kampf antreten kann.

Damit ist freilich nur unterstrichen, was in dem Märchen von vornherein angelegt war: denn das Land, in dem Fanferlieschen neben dem guten König Laudamus so segensreich regierte — wir mögen es getrost Vaduz oder das Paradies nennen — stand seit je unter dem Zeichen der Mutter, nicht erst in jenen bösen Zeiten des Königs Jerum, da das ältliche Fräulein, abgedrängt an den Stadtrand, in ihrem „Erziehungsinstitut" die bedrohten Kinder um sich sammelte und am Leben erhielt, sondern von allem Anfang an, als man in der Schachtel mit dem Baby das Wunderschürzchen Femoralia fand, aus dem Fanferlieschen, zu Jahren gekommen, alles herausschütteln konnte, was sie mit Namen benannte, ein wahres Wunderhorn, um bei Brentanoschen Metaphern zu bleiben, der große Mutterschoß, in dem alle Dinge der Welt neben- und miteinander ruhten, bis das Wehen der Schürze — oder sollten wir gar sagen: die Wehen der Schürze[11]? — sie gebar. Und neben der Schürze gibt es die Goldpantöffelchen, mit denen Fanferlieschen in wichtigen Augenblicken klappert, damit alles Zerstreute, wie von einer Glocke gerufen, sich um sie sammeln kann, aus welchem Grunde denn wohl auch das Land, das alle Vereinzelten zu einer Volkseinheit versammelt, den Namen Sandalia trägt, bis es durch König Jerum zu Skandalia gemacht wird. Ist es bei all dem wirklich erlaubt zu erklären: „man darf bei dieser flächenhaften oder linearen Kunst nach keinem Hintergrund, nach keinem Hintergedanken fragen"[12]? Wie wenn das ganze Märchen nichts anderes wäre als die Frage nach einem Hintergrund, nach dem Gedanken hinter allem Seienden?

Nun ist das Heruntersteigen in die Vor-Zeit, das die neue Version zu bieten hat, nicht das einzige Beispiel, das in der Überarbeitung darauf hinzielt, Hinter-Gründe aufzudecken. Ein unbedeutender Zusatz sei erwähnt, weil auch an ihm dieselbe Tendenz sich abzeichnet. Dem kundigen Leser des Märchens wird nicht entgehen, daß die Geschichte von Ursula in ihrem Ausgestoßensein, ihre langjährige Einsamkeit, die mit der tätigen Hilfe der Waldtiere der Erziehung des im Leid geborenen Söhnchens gewidmet ist, eine Variante der Genovefa-Legende darstellt. In der neuen Fassung nun deckt Brentano diesen verborgenen Ur-sprung auf. Wir hören jetzt, daß Ursula ihrem Kind *oft im Turme die Geschichte von der heiligen Genovefa erzählt* (III, 136), und dieses Zurück zur Quelle, das Durchsichtigwerden der Geschichte auf ihren eignen Ursprung hin, erweist sich wieder als lebensträchtig. Denn als Küchenjunge formt

nun Ursulus das Bild von Genovefa und Schmerzenreich als Zucker-
guß auf einem Kuchen, und dieses Bild — wohlverstanden wieder
ein Mutter-Bild — rührt den König, als ihm die Torte kredenzt wird,
so sehr, daß er den in der Küche versteckten Sohn vor seinen Thron
befiehlt, ihn als Pagen in seinem nächsten Umkreis behält und
damit die Wendung des Märchens zu seinem glücklichen Ende möglich macht.

Viel entscheidender freilich als diese Neben-Sächlichkeit ist die
Tatsache, daß in der neuen Version das Erzählte in seiner Gesamtheit gleichsam zu seinem eignen Ursprung zurückkehrt. Der Erzähler nämlich führt sich selbst in seine Geschichte ein, er „macht" sie
vor unseren Augen für uns, die wir mit zahlreichen *seht, nun aber
seht einmal, nun gebt acht, du redest und siehst nicht, was vorgeht;
siehst du denn nicht, wie* . . . und ähnlichen Aufmunterungen an-
gesprochen werden (III, 934 ff.) [13]. Der Dichter, in dem doch die
Geschichte ihren Ursprung hat, ist selbst Erdichtetes, Stoff und Teil
erzählter Welt; er ist das Ei, aber auch das, was dem Ei entschlüpft,
der Erschaffer, aber auch Stück des Geschaffenen, so daß die Möglichkeit gegeben ist, daß das Geschaffene sich selbst reflektiert und
der Schöpfer im Geschaffenen untergeht. Wir müßten nicht bei der
Romantik, bei Brentano zu Gaste sein, um eine solche Erzählhaltung
überraschend zu finden; denn was sie bewirkt, ist ein Musterbeispiel
romantischer Ironie [14], jenes tiefsinnigen Spieles, das wir bei unserm
Dichter hinlänglich kennen, sei es nun, daß der Erzähler als Mitspieler in die Erzählung hineingezogen wird wie im „Kasperl und
Annerl", oder daß er am Schluß als Zuhörer unter der lauschenden
Kinderschar sitzt, der er doch eben das Märchen vom „Gockel" vor-
fabuliert hat, oder daß er die Lebens- und Leidensgeschichte der
schönen Lore Lay mit dem dreimaligen Ruf *Lore Lay* enden läßt,
als wären es meiner drei [15]. Es kann sich also hier nur darum handeln, an der Überarbeitung aufzuzeigen, mit welcher Radikalität sich
die Frage stellt, die wir als Motto unserm Deutungsversuch voran-
gesetzt haben: *Erschafft mich die Welt, oder ich sie?*

Das geht hier so weit, daß der Erzähler, der doch seine Geschichte
erfindet, als Erzählfigur andere Erzählfiguren zu fragen hat, was sie
über die Geschichte, über Leben und Charakter Fanferlieschens
wissen. Und als er von den Gewährsleuten, die in ihm einen
Spitzel auf der Jagd nach Finsterlingen und Jesuiten vermuten,
abgewiesen wird, tröstet er sich mit der resignierten Feststellung:
. . . *was brauch ich . . . zu fragen in einer Sache, von der kein Mensch
nichts weiß, und über die der König Jerum so dumm und ergrimmt
lügt* [wieso eigentlich, da doch kein Mensch etwas von der Sache
weiß?]; *muß ich mehr von der Wahrheit wissen als alle anderen*

Leute? (III, 938 f.) — worauf er in der nächsten Zeile prompt beginnt, die Lebensgeschichte Fanferlieschens von der Auffindung des Kästchens bis zu dem gegenwärtigen Moment wahrheitsgetreu zu erzählen. Und selbst hier haben wir es mit einem Fall des nachträglichen „Heraufholens" zu tun. Denn schon ein Weilchen bevor sich der Erzähler — vergeblich aber dann auch wieder nicht vergeblich — bei den zwei *lieben Herren Nebenmenschen* nach Fräulein Fanferlieschen erkundigt hat, weil er doch offenkundig nichts über sie weiß (wobei das nichts natürlich alles ist), hat er sich an uns gewendet mit Frage und Zuspruch: *wer auf aller Welt mag sie nur sein? Geduld! Das wollen wir alles bald herausspekulieren, macht nur die Augen ein wenig zu und guckt mit mir ins innere Schlüsselloch; da seht ihr ja alles, was sie getan hat, was sie jetzt tut, künftig tun wird, und auch was ihr niemals zu tun in ihren klugen Kopf gekommen ist* (III, 933 f.). Das Brentanosche Weltei enthält also, nur den geschlossenen Augen sichtbar, nicht bloß die Welten, die sich entfaltet haben, entfalten und entfalten werden, sondern darüber hinaus noch jene, die sich nicht entfalten werden. Es ist das Ein, in dem das All schläft — plus alle Alls, die es gar nicht gibt.

Wenn es uns jetzt im Kopfe wirbelt, dann ist das ganz in der Ordnung; denn wir haben den Punkt erreicht, wo das Eine das Vielfältige und das Vielfältige das Eine ist. Dies aber, auf den Bereich familiärer Beziehungen angewandt, heißt, daß wir uns dem Phänomen des Geschwisterlichen, im Idealfalle des Zwillingsgeschwisterlichen, gegenüberfinden. Denn Geschwister sind dem einen Mutterschoße, der sie hielt und entläßt, entsprungen und sind darum „im Grunde" eins, aber sie sind gleichzeitig eigenständige und getrennte Wesen. Es ist nun schön zu beobachten, wie sich das Schwesterliche allmählich in unser Märchen einschleicht, bis es schließlich in der Spätfassung als voll ausgebildetes Thema erscheint. Fräulein Ursula von Bärwalde: in welch andere Richtung deutet sie als in die des Schwesterlichen, da dies ja der Name der Grafschaft ist, in der Bettinas Wohnsitz Wiepersdorf nach ihrer Eheschließung mit Arnim lag, so daß also schon in diesem frühen Ansatz, wenn auch durchaus unsichtbar, der Erzähler, Clemens Brentano als Bruder, in der Geschichte zugegen ist. Freilich — und wir sind hier noch in der alten Fassung — dieses geheime Schwesterbild wird erst „nachträglich" in die Geschichte hineingeholt; denn ursprünglich war es die Ziege (das Fräulein von Ziegesar), deren Ohrläppchen der böse Jerum bei seinem Ausritt mit seinem Pfeil durchbohrt hatte und die ihm schon in den guten Tagen des Königs Laudamus als Ehegattin zugedacht war, bis dann plötzlich und ganz unvermittelt ihre Rolle von Ursula von Bärwalde übernommen wird [16].

Voll entwickelt wird das Geschwistermotiv aber erst in der Umarbeitung; denn jetzt, mit der Heraufholung der Vorgeschichte, erscheint Fanferlieschen als die *Milchschwester* (III, 939) des Prinzen Laudamus, ja wir können sie getrost die Milchzwillingsschwester nennen, da die beiden doch am gleichen Tage das Licht der Welt erblicken, von der Königin-Mutter selbst genährt, wie uns ausdrücklich versichert wird, aber eben doch nur Schwester-Bild, getrennt und unverwandt bei aller Verwandtschaft. Ich glaube, wir gehen nicht zu weit, wenn wir hier in diesem hintergründigen Märchen, wie vorsichtig auch immer, sogar ein Motiv angedeutet finden, das Brentano an anderer Stelle, in den „Romanzen vom Rosenkranz", zentral beschäftigt hat: das Inzest-Motiv. Inzest ist der Versuch, ebenso beseligend wie sündhaft, im eigenen Blutstrom zu verharren, die Auseinanderfaltung des Einen ins Vielfältige wieder rückgängig zu machen und damit den Ursprung als Ursprung zu leugnen. Unser Märchen ist von dieser Versuchung nicht frei, denn Prinz Laudamus liebt seine Milchschwester Fanferlieschen über alles, und keinen anderen Wunsch hat er, als sie zu seiner Königin zu machen. Aber da wir in einem Märchen sind, ist die Gefahr, „bei sich" zu bleiben, in jener Selbstheit, die gleichzeitig Paradies und Sünde bedeutet, nicht sehr ernst zu nehmen. Prinz Laudamus wird in die Welt ziehen, um seine Frau zu finden, eine böse Frau freilich, weil sie, die Scandalia Immoralia heißt, sich als Sandalia Femoralia ausgibt, und mit ihr wird das Unglück beginnen. Das Paradies geht verloren, aber es bleibt erhalten als das Schwesterbild, das eben gerade weil es sich nicht als Frau in Besitz nehmen ließ, als gütiger Geist über der „Geschichte" wacht. Es könnte sein, daß Brentano in diesem „flächigen" Märchen viel mehr erzählt als es den Anschein hat, nicht weniger als seine eigene Lebens- und Leidensgeschichte, die Lebens- und Leidensgeschichte des Künstlers, der mit sich selbst Inzucht treibt und nur durch ein Wesen gerettet werden kann, das von „Jenseits" kommt, ein Kindlein, aufgefunden in einem bescheidenen Schächtelchen und am Schluß, wenn es sein Menschenleben erfüllt hat, wieder verschwindet *durch die Lüfte davon.*

Nun aber hat Brentano für die Umarbeitung des Märchens eine weitere „Schwester"-Figur hinzugedichtet — denn sie nur eine Parallelfigur zum Fanferlieschen zu nennen, täte der Enge der „Verwandtschaft" nicht Genüge —, auf den ersten Blick nicht mehr als eine der vielbeschrienen und vielverrufenen „närrischen" Erfindungen, die seine Phantasie wie willkürliche Blasen hervorgetrieben haben soll. Da gibt es neben Fanferlieschen eine zweite *betagte, betugte* Jungfer, oder besser ein altes Weib (III, 959), das sich im letzten Moment einstellt, als sich der große Trauerzug am Todestage des guten Königs Laudamus mit Fanferlieschen an der Spitze gerade in Bewegung setzt. *Die letzte Person aber dieses herzzerreißenden Leichenzugs war, wie immer bei allen Leichenbegängnissen, ein altes Weib mit einer blauen Schürze, ohne welche keine Prozession möglich ist. Wer sie eigentlich ist, hat man noch nie herausbringen können* (ebda). Wirklich nicht? Jemand, der bei jedem Leichenbegängnis dabei sein muß und ihn beschließt, so wie Fanferlieschen ihn eröffnet, angetan mit einer Schürze ganz so wie Fanferlieschen, wenn freilich auch von einer anderen Farbe, wegen dieser Schürze in bittrem Grimm auf Fanferlieschen, die dem Hutzelweib eine neue versprochen hatte, ohne dies Versprechen einzulösen, unter Absingung eines zornigen Liedes die Stadt verlassend und zwar genau um Mitternacht, in der Minute, da der Tag stirbt (*Leb Sie wohl, es schlägt grad Zwölfe / Mit dem alten Schurz ich mich behelfe*, III, 973), das einzige Menschenwesen, das um Ursulas Versteck weiß und darum eine ständige Gefahr, wenn es ihr einfiele, das Geheimnis des Überlebens auszuplaudern, wohnhaft bei dem Schäfer, dessen Aufgabe es sein wird, die vielen von Jerum ermordeten Ehefrauen schön und christlich zu begraben, schließlich versöhnt durch die Vögel, die ihr auf Ursulas Bitten eine nagelneue blaue Schürze schenken, mit der sie sich bei jedem Leichenbegängnis stolz wird sehen lassen können und von da ab bis zum glücklichen Ausgang die treueste Bundesgenossin Ursulas. Können wir es wirklich nicht *herausbringen*? Sie ist immer da, wo zu Grabe getragen wird; während Fanferlieschen die Eröffnende ist, ist sie die Beschließende, und wenn sie sich mit Fanferlieschen überwirft, dann wegen ihrer Schürze, die so wenig nach Fanferlieschens Sinn ist, daß sie sich ihrer nicht ent-sinnen kann und mag. Von Fanferlieschens Schürze aber wissen wir, daß sie aus ihr alle Dinge der Welt herausschütteln kann, wenn sie nur den Namen ausspricht. Wie wenn die Schürze der anderen die Gegen-Schürze wäre, in der alle Dinge der Welt wieder eingesammelt werden? Dann freilich stünden sich die beiden sinnvoll gegenüber, die eine, aus der alles kommt, die andere, die bei jedem Heimgang die Hand im Spiele hat, Mütter und Schwestern sie beide, und die Bildsprache würde es uns verraten, auch wenn das alte Weib nicht ausdrücklich von sich sagte: *wer ich bin, das wissen die Toten* (III, 996).

Um diesen Gedanken der Zusammengehörigkeit des Einen mit dem Vielen und des Vielen mit dem Einen lassen sich, so will es mir scheinen, alle „bizarren" Spielereien, mit denen Brentano die Neufassung des Märchens auffüllt, gruppieren. Es gibt, wenn wir an Zeitlichkeit denken, ein Instrument, in dem jeder Moment „für sich" da ist, aber für sich im Sinne von: alle zusammen. Es ist die Uhr, und gewiß kein Zufall, daß Brentano den Gedanken der Uhr so oft umspielt hat, am ausführlichsten in seiner frühen „Wunderbaren Geschichte von BOGS dem Uhrmacher". Nun, eine solche wunderbare Uhrengeschichte gibt es in der Spätfassung unseres Märchens auch, und da es ja, wie wir gesehen haben, immer darauf angelegt ist, den Ursprung durchsichtig zu machen, wird uns denn auch nicht verheimlicht, daß Fanferlieschen die Verfertigung dieses genialischen Instruments *von einem verrückt gewordenen Uhrmacher Namens Bogs gelernt hatte* (III, 940). Eine solche Uhr schenkt Fanferlieschen dem jungen Laudamus, bevor er sich auf seine ausgedehnte Kavalleriertour begibt, und mit ihrer Hilfe können sich die beiden über alle Räume hinweg verständigen. Die Handhabung und Erklärung dieser Kommunikationsmöglichkeit ist logisch absolut zwingend. Wenn es vier Uhr ist, dann zeigen bekanntlich alle Uhren der Welt auf die Ziffer vier. Warum also sollte es, wenn man für die 24 Stunden die Buchstaben des Alphabets einsetzt, nicht möglich sein, ein Wort und ganze Sätze auf der Uhr zu buchstabieren; und da ja jede einzelne Uhr dasselbe anzeigt wie alle Uhren, kann Laudamus selbstverständlich auf seiner Uhr nachbuchstabieren, was Fanferlieschen auf ihrer vorbuchstabiert hat (und umgekehrt). Es ist eine absolut geniale Erfindung eines ganz und gar nicht verrückten Uhrmachers, sofern man bereit ist vorauszusetzen, daß jede Uhr eben nicht ihr eigenes Uhrwerk hat, sondern daß alle Uhren in ihrem Ursprung korrespondieren durch ein All-Uhrwerk, ein Uhr-Ei, das „hinter allem" steht. In solchem Glauben — und es ist nicht nur ein Märchenglauben, sondern der Glaube an das Märchen — ist das sture Rücken des Zeigers von einem Strichlein auf dem Zifferblatt zum nächsten nicht nur das leer automatische Ablaufen der Zeit, sondern die Verweisung auf einen Ur-Sinn, der hinter allem Zeitablauf steht und der im dialektischen Umschlag gerade in dem Un-Sinn des Märchens sein Geheimnis offenbart.

Wie die Uhr so der Kalender, auch er ein Gegenstand, von dem der unaufhaltsame Fluß der Zeit abgelesen werden kann, der Weg von einem Tage zum nächsten, zusammengehalten aber in Ganzheiten, der Kreis der Woche, des Monats und des Jahres. Schon in den „Rheinmärchen", dem Märchen von dem Hause Starenberg, hatte Cisio Janus, der personifizierte Volkskalender[17], eine entscheidende wenn auch schwer durchsichtige Rolle gespielt, und wir hatten von ihm vernommen: *er sah aus wie einer, der alle Tage anders ist und doch immer einerlei, wie einer, der ewig fortfährt und am Ende wieder von vorne anfängt* (III, 147). Jetzt in der Neufassung des Märchens vom Fanferlieschen hören wir, daß das Liebste, was die guten Vögel Ursula in ihren Turm brachten, *ein Katechismus, ein Gebetbuch, ein Evangelienbuch und ein Kalender war* (III, 1018), so wie auch schon früher *in Fanferlieschens Erziehungsinstitut . . . der Kalender der Mittelpunkt alles übrigen Wissens* gewesen ist (III, 1027). Und es wird uns auch gesagt, warum der Kalender ein solcher Mittelpunkt sein konnte. In ihm findet Ursulus neben der Aufreihung der Tage, der verrinnenden Zeit und Zeitlichkeit, Bilder und Geschichten der Heiligen und Festtage, das Geistliche Jahr also, die Verweisung auf das Ewige, das Immer-Einerlei in dem täglich anderen, und darüber hinaus *Sonne und Mond und der Gestirne Auf- und Untergang* (ebda), den Kosmos in seiner unendlichen Bewegung, die ja wieder nichts anderes ist als Ursprung und Quelle der vordergründigen Tageszeiten, die der Kalender registriert. Und neben dieses Lehrbuch, das begreiflicherweise *Mittelpunkt alles übrigen Wissens ist*, tritt der *Orbis Pictus, worin alles, was da lebt, was da schwebt, im Himmel und auf Erden, und sogar die Seele feingetüpfelt abgebildet ist (III, 1026)*. Dies ist, sichtbar gemacht in den Einzelbildern des Weltenrunds, in der Tat *das Ganze*, von dem Brentano in einem Brief an Rahel Varnhagen einmal gesagt hat, daß nur in ihm der Himmel liege (I, 1320).

Diese Kuriositäten, die man so gern als Ausgeburten einer wildwuchernden und planlosen Phantasie abtut, sind „Seltenheiten mit Andenkenswert"[18], ja mehr noch als dies: sie sind Chiffren, durch die sich Vergangenheiten über allen Zeitverlauf hin lebendig erhalten, zurückverweisend auf den Ursprung, der in verrätselten Bildern weiterwirkt und damit ein hinter allem Wirrwarr und aller Konfusion des Lebens durchsichtiges Dasein schafft. Zu diesen Kuriositäten gehören die Wappenschilder, die Heraldik im weitesten Sinne, für die Brentano eine wahre Leidenschaft hat, und mit der er uns manchmal amüsant und manchmal penetrant zu unterhalten nicht aufhört. Da sind die Wappentiere Katz und Ratte, die in dem Märchen von dem Müller Radlauf, der Ouvertüre zu den „Rheinmärchen", eine entscheidende Rolle spielen; da sind die komplizierten und schwer durchschaubaren Hausembleme der Alektryo-Familie im „Gockel"; da sind in unserem Märchen — und dies vor allem wieder in der Neufassung — die zahllosen Wappenschilder der jungen Adelszöglinge, die Fanferlieschen in ihrem Institut versammelt hat. Sie alle verweisen auf die Kontinuität einer Dynastie, die durch das Wappenschild bis auf ihren Ursprung zurückverfolgt wird, bis zu dem Punkt wo der Name der Familie beginnt und sie aussprechbar und ansprechbar geworden ist. Nun ist festzuhalten — und das wird für die kommende Erörterung von Brentanos Sprache ausschlaggebend sein —, daß Name und Bild, so wie es im Wappen erscheint, identisch sind. Diese jungen Adelsfräulein und -herren heißen nicht nur so wie das Bild es andeutet, sondern sie s i n d das, was das Bild darstellt oder können sich zumindest im Notfalle jederzeit in dieses Bild verwandeln. Gewiß, daß ein Mensch sich in ein Tier verwandelt (oder umgekehrt), ist ein Märchenzug so alt wie das Märchen selbst. Aber das Entscheidende bei Brentano ist eben, daß der Mensch sich in das Tier verwandelt, das in seinem Namen steckt und dessen Bild auf seinem Familienwappen abgebildet ist. Ursula von Bärwalde heißt so wie sie heißt, weil in ihrem Wappen der Bär herrscht (wir können es auch umkehren: in ihrem Wappen herrscht der Bär, weil sie so heißt wie sie heißt), und sie wird sich darum eben auch in ein Bärenfräulein verwandeln, und so wie sie alle anderen Zöglinge Fanferlieschens. *Da bemerkte ich etwas Seltsames. Jedes Kind*[19] *hatte sich in das Tier seines Namens verwandelt, und dasselbe Tierbild war aus seinem Wappen verschwunden, statt dessen aber stand das Bild des Kindes, wie es vor der Verwandlung ausgesehen, wunderschön im Wappen abgemalt* (III, 966). Und nun folgt die schier endlose Reihe von Verwandlungen der Standesjugend, die Fanferlieschens zoologischen Garten ausmachen werden, in das Wappentier ihres Namens: die Riedesel in Esel, die Ochsenstirna in Ochsen, die Rindsmaul in Rinder, die Hirschau in Hirsche, die Rehberg in Rehe und nicht weniger als zwanzig weitere.

So wird die Brücke geschlagen zwischen Namen, Mensch und Tier, die auswechselbar sind, weil im Ursprung dasselbe. Aber damit ist die letzte Untiefe noch nicht ausgelotet. Denn bei der eigentlichen Hauptperson unseres Märchens, bei Ursula von Bärwalde, gehen Identifikation und Verweisung noch weiter. Sie ist ja nicht nur die Bärin, als die sie im Wappen erscheint, sondern gleichzeitig die Tochter der Gestirnkonstellation des Bären. Wenn wir genau lesen, wird sich zeigen, daß die Identifikation wirklich vollkommen ist; denn in Ursulas Fall ist das „Tierbild" im Wappen gar nicht das Tierbild, sondern das Sternenbild: *wo sonst das Sternbild des kleinen Bären im Wappen von Bärwalde gestanden, stand nun das Bild der Prinzessin, und Ursula war die kleine Bärin geworden* (ebda). Und so wie es am Himmel wie auf Erden einen kleinen Bären (oder eine kleine Bärin) gibt, so gibt es am Himmel wie auf Erden eine große Bärenkonstellation, die verstorbenen Eltern Ursulas, zu denen sie in ihrer höchsten Not hinaufblickt, weil sie da oben am Firmament leuchten (III, 991), aber die dann auch wieder als *Bilder auf Wachstuch gemalt* (III, 1017) — es sind sogar *Brustbilder*, so wird uns versichert — von den Vögeln in Ursulas Turm gebracht werden, damit sie damit die kahlen Wände schmücken kann. Darum wird es uns denn auch nicht erstaunen, daß die Geburt des kleinen Ursulus sich auf seltsame Weise vollzieht, so schon in der ursprünglichen Fassung (III, 413 f.), aber voll ausgeführt erst in der Umarbeitung. Hier die Beschreibung, wie Ursulas Söhnchen „auf die Welt" kommt: *Es war ihr aber im Traume, als trete ihre Mutter zu ihr und schaue mit ihr in das Sternbild und da zuckten auf einmal die Sterne zusammen, und es falle ein Stern herunter in ihren Schoß . . . da lächelte ihre Mutter und legte ihr ein liebes Kind in die Arme, und segnete sie und verschwand. Jetzt wurde Ursula plötzlich von einem lauten fröhlichen Storchgeklapper erweckt, und wer kann ihre Seligkeit aussprechen: ein schönes Knäblein lag an ihrer Brust* (III, 1020). Traumgeboren, sterngeboren, aus dem Mutterschoß geboren — und natürlich hat die Großmutter, die große Mutter, ihre Hand im Spiel —, so kommt der neue Mensch, der Märchenheld auf die Welt, verwandt mit allem, was das Wappenbild, die Ursprungschiffre, festhält: Mensch und Tier und Gestirn — das Ganze.

Wir sind nun mit dem Hinweis auf Brentanos Liebe und besonderen Gebrauch der Heraldik in eine Sphäre eingetreten, auf der, ausgeprägter als bei jedem anderen Dichter, sein ganzes Schaffen beruht: das Bewußtsein und die Handhabung des Namengebens und das heißt: der Sprache. Es versteht sich, daß wir in dem begrenzten Rahmen unseres Themas diesem Zentralanliegen nur flüchtige Aufmerksamkeit schenken können, dies um so mehr, als es dabei um die Wurzel geht, aus der Brentanos gesamte Poesie und nicht nur die Umarbeitung des einen Märchens, mit der wir uns befassen, herauswächst. Es kann in der Tat mit Recht behauptet werden: „Das Brentanosche Märchen geht blitzblank aus einer Wortwerkstätte hervor"[20], wobei freilich hinzuzufügen wäre, daß sich eine solche Feststellung nicht nur auf seine Märchen, sondern auf sein gesamtes Werk beziehen läßt. Keiner, jedenfalls keiner bis zu den Dichtern einer viel späteren Generation, hat das Wort so beim Wort genommen wie er, als die eigentliche Substanz, aus der Dichtung gemacht wird — nicht nur ein Artefakt, dem eine bestimmte Bedeutung innewohnt, sondern ein Seiendes, das mit all seinen Qualitäten, von denen die Bedeutung nur eine und vielleicht sogar eine untergeordnete ist, mit Klang und Rhythmus und Nebenton, mit allen möglichen und oft genug unmöglichen Assoziationsfeldern ins Bewußtsein gehoben und gehört wird. Ursula von Bärwalde und all die anderen zahllosen Namen sind nicht nur Namen, sondern sie sind die Dinge, die sie benennen. Eine Schürze heißt nicht nur Femoralia — und so heißt sie freilich[21] —, sondern sie i s t eine Femoralia, nämlich eine Schürze, so wie ein Paar Pantöffelchen Sandalia heißen, weil sie Goldsandalen sind und dann schließlich einem ganzen Land den Namen geben, da es ja unter dem Pantoffel der Pantoffel steht — oder um es im Brentanoschen Wortlaut wiederzugeben: *unter dem Schürzen- und Pantoffelregiment* (III, 964) —, bis es eines Tages Skandalia heißen wird, nachdem es unter Jerum zum Skandal geworden ist.

Es scheint mir ganz unzulässig, oder in jedem Falle zu kurz gegriffen, diese Sprachbehandlung als Wortwitzeleien oder gar als „Kalauer"[22] abtun zu wollen, als eine „Art eitler Koketterie, mit einer gewissen Fertigkeit in allerlei poetischen Worten zu prunken", als die selbst der engste Freund, Achim von Arnim, sie verstanden hat, „sinnloser Leerlauf, krankhafte Entartung der Sprache"[23]. In seiner Haltung der Sprache gegenüber ist Brentano, wenn diese Analogie zu religiös-philosophischem Denken erlaubt ist, ein strenger scholastischer „Realist" im Sinne Anselms von Canterbury und des heiligen Thomas: die *nomina* sind nicht nur Namen, die eine dahinter liegende *essentia* „bezeichnen", sondern sie sind die „Realien" selber. Wenn der magistrale Ausspruch des modernen amerikanischen Dichters Archibald MacLeish: „A poem should not mean but be" sich wenigstens annäherungsweise je erfüllt hat, dann im Falle Brentanos. So gesehen, wäre Fanferlieschen nicht einfach eine gütige Fee und Zauberin, mit denen die Märchen aller Zeiten und Zonen in großer Dichte bevölkert sind, sondern sie stellte nichts weniger dar als den Geist, die Logik der Dichtung selbst: was sie beim Namen nennt, das steht, aus der Schürze geschüttelt, als geschaffenes Ding vor ihr. Und das ist nicht weniger als der Sinn des Dichtens überhaupt.

Freilich, das Glück des Märchens, in dem die ausgesprochenen Dinge fertig aus der Schürze fallen, ist die Qual des Dichters, der in der Welt gegebener „Realien", d. h. einer strukturierten und von ihm nicht geschaffenen Sprache, leben muß. Seine Not schlägt sich in dem Motto nieder, das wir unserer Deutungsbemühung vorangestellt haben, und das an dieser Stelle unserer Untersuchung abzuwandeln wäre zu der Formel: „Erschafft die Sprache mich oder ich sie?" Er muß sie erfinden, aber erfinden innerhalb einer Sprachwelt, die bereits vorfindlich ist. Hier, so glaube ich, liegt der Grund für Brentanos Sprachbizzarrerien, die sich überschlagenden Wortspiele und -spielereien, die Reimexzesse, die Neubildungen, Neukombinationen, Wortanalogien, Wort-Assonanzen und -Dissonanzen, die man gern als bis an die Grenze des Pathologischen gehende Narreteien abtut. Er ist — und wie könnte es anders sein? — im wahren und übertragenen Sinne besessen von der Sprache, aber er steht als Dichter gleichzeitig vor der Aufgabe, sie in Besitz zu nehmen, das Vorgeformte als Rohmaterial zu behandeln, das ihm zu formen aufgegeben ist. Nichts scheint mir falscher als diesen Prozeß auf den Nenner „Entstellung"[24] bringen zu wollen, da es sich in Wirklichkeit doch um Her-Stellung handelt, um das Machen der Worte, die für den Dichter die Substanz seiner Schöpfung sind. Und es ist nur die halbe Wahrheit zu behaupten: „Brentano greift die Sprache nicht selbsttätig an. Sie ist kein ‚Gegenstand' für ihn, kein Stoff des überschauenden, planenden und beziehenden Geistes . . . er verfügt nicht über die Sprache, sondern die Sprache verfügt über ihn."[25]

Es gibt in der Neufassung unseres Märchens eine Episode, die beinah programmatisch das Dilemma und die Größe des Dichters schlechthin vor Augen führt. Fanferlieschen braucht für den Trauerzug eine ganz bestimmte Blume, *eine gewisse Art von gemachten Blumen* (III, 951) — es ist durchaus nicht zufällig, daß Brentano hier von *gemachten Blumen*, also von Kunst-Blumen spricht —, aber ihr will und will der Name nicht einfallen, und da — in der Dichtung jedenfalls — der Name das Ding ist, *schüttelte sie lange vergeblich* (ebda.). Der Prozeß der Namensfindung spielt sich nun in einem dreimal unterbrochenen Gedicht von 155 Zeilen ab, in denen Fanferlieschen eine Unmenge von Realia durchläuft: Blumen, Menschen, Grabstätte, Tiere, Wetterzustände, das Kreuz mit dem angenagelten Christus, die Heilige Jungfrau, Hölle, Himmel, Reise auf stürmischer See, die Frankfurter Messe mit all ihren Buden und dem darin Käuflichen, die Chaussee nach Wiesbaden, zahllose Spielsachen, Finanzprobleme, Schnupftabak, Nürnberger Apothekerladen, bis sie schließlich in Zeile 146 das Wort *knittern* erreicht. Und nun geht es so weiter:

> *Knittern, reimt sichs drauf mit Flittern,*
> *Ja, ich hab's — Flitterblumen*[26]
> *Nennen es die alten Muhmen,*
> *Die damit und sieben Sachen*
> *Jene schönen Kronen machen.*
> *Schürzchen Femoralia*
> *Für die Funeralia*
> *Schüttle mir hübsch klein und groß*
> *Flitterkronen aus dem Schoß!* (III, 956)

Was sich hier abspielt, ist ein Sturmlauf durch die weitest entlegenen Dinge der Welt, um auf das Wort zu stoßen, das man gesucht hat und das „auf dem Grunde" verborgen liegt. Aber verborgen wie es auch sein mag, es wird auffindbar nur dadurch, daß man sich auf den Wogen der Dinge zu ihm tragen läßt. Damit wird die Paradoxie des Dichters deutlich: er nimmt von dem Wort Besitz, aber er kann es nur dadurch, daß er sich durch eine ganze auseinandergefaltete Wortwelt jagen läßt, die, weil alles mit allem zusammenhängt, schließlich auf das Eine, das im Hintergrund versteckt liegt, hinführt.

Wir stehen hier — auf der tiefsten Ebene unserer Untersuchung, auf der Ebene der Sprach- und Dichtkonzeption — an dem Punkte, den wir bei unseren vorangegangenen Erörterungen als den entscheidenden des Brentanoschen Märchens — und nicht nur des Märchens — erkannt zu haben glaubten: wie nämlich aus der Vielheit der Weg gefunden werden könne zu der Einheit, in der alle Vielheit schon enthalten ist. Das, so glaube ich, ist der ganz und gar nicht „flächige" Sinn der Brentanoschen Wortspiele. Was sie uns deutlich machen ist das verzaubernde und erschreckende Phänomen, daß die verschiedenen Worte „im Grunde" eins sind oder umgekehrt: daß das eine in seiner Auffächerung die verschiedenen aus sich entläßt. Worum es in seiner wilden Sprachkombinatorik von allem mit allem immer wieder geht, ist der Versuch, die Wörter durchsichtig zu machen auf ihren Ursprung hin, bis zu dem Wort-Ei durchzustoßen, in dem das All und das Eine zusammen gegenwärtig sind.

Nur ein paar Beispiele aus der Spätfassung des „Fanferlieschens" mögen es verdeutlichen. Da ist das von Brentano oft bis an die Grenze des Erträglichen getriebene Phänomen der Zweideutigkeit des Wortes — und Zweideutigkeit sei hier durchaus in seinem Doppelsinn verstanden. Einer der Höhepunkte unseres Märchens ist der Moment, da Jerum nach Fanferlieschens Eröffnung seiner Untaten vom Volk seiner Krone für verlustig erklärt wird. *Da rief alles Volk: „Abgesetzt!"* (III, 969), in welchem Augenblick die alte Frau mit der blauen Schürze, einen schweren Korb auf ihrem Kopfe, erscheint. *Da sie nun alles rufen hörte: „abgesetzt!", meinte sie, das gelte ihr; man wolle, daß sie ihre Last absetzen solle,* — was sie denn auch unverzüglich tut. Was hier vorgeführt wird ist die Geschwisterhaftigkeit der Sprache: daß nämlich ein Wort in seiner Bedeutung zwei Wörter sind oder vielleicht genauer noch, daß ein Wort, zuerst benutzt in einem übertragenen Sinne, auf seinen Ursprung, auf seine „eigentliche" Bedeutung hin durchsichtig gemacht wird.

Aber ein anderes noch wird an diesem einen Beispiel deutlich, auch dies ein Phänomen, das sich bei Brentano immer wieder zeigen wird: eine Wortform hat zwei verschiedene grammatische Funktionen; denn das *Abgesetzt* ist im ersten Fall ein Vergangenheitspartizip (Jerum ist abgesetzt), gleichzeitig aber, wie das alte Weib es hört, ein Imperativ, so daß sich also die Syntax der Sprache als ebenso „zweideutig" erweist wie ihre Semantik. Klarer noch läßt sich diese Zwitterhaftigkeit einem Gedicht unseres Märchens ablesen, das sich freilich bereits in der ursprünglichen Fassung findet:

> *So viel Ringe, so viel Bräute,*
> *So viel Bräute, so viel Messer,*
> *So viel Messer, so viel Herzen,*
> *So viel Herzen, so viel Wunden* (III, 398 & 985)

Man kann diese Zeilen, syntaktisch richtig aber inhaltsmäßig falsch, verstehen als eine unverbundene Reihung von Aufzählungen oder Ausrufen, während es sich der Bedeutung nach natürlich um eine Syllepse handelt: ebensoviel Ringe wie Bräute, ebensoviel Bräute wie Messer usw.[27].

Aber es ist selbstverständlich nicht nur die Bedeutungs- und Syntax-Duplizität, durch die Brentano die Verschwisterung der Sprache ins Bewußtsein hebt. Häufiger noch sind es die Lautqualitäten eines Wortes, sein Gleichklang, durch den Weitabliegendes so zusammen-gerückt wird, daß es in eins zusammenfällt. Wenn von dem Unter-richtsprogramm in Fanferlieschens Tier-Institut gehandelt wird, dann ist es nur zu verständlich, daß aus dem philosophischen Stu-dium ein *viehlosophisches* (III, 932) wird, während sich die Eleven, unter denen sich ja so viel Geflügel befindet, nicht nur züchtig, sondern *hühnerzüchtig* zu verhalten haben. Und da wir ja in einem Märchen sind, für welche Gattung es seit den Brüdern Grimm eine ganz bestimmte Kennmarke gibt, so kann Fanferlieschen ins Wochenblättchen einrücken lassen, daß in ihrem Institut *nie ge-diente, adrette Haus- und Kindermädchen* (III, 977) zu erfragen seien, wobei denn noch zu bemerken ist, daß in der Sprache die Ver-ein-heitlichung oder Auseinanderfaltung ihrer Wörter oder Wortwendungen auch dann sich noch vollzieht, wenn man die Komponenten auswechselt und umdreht[28].

Man mag solche Kunststückchen als „reine Willkür" abtun[29], nur daß man dann verkennt, daß es, zuerst einmal, Kunst-Stückchen sind. Es ist ein Kunst-Stück, und wie ich glaube ein sehr tiefsinniges, wenn Brentano Metaphern, die in der Sprache als gängige und gedankenlos ausgehändigte Münzen zirkulieren, nach ihrem ur-sprünglichen Sinn befragt, ihre Quelle aus der Verschüttetheit heraufholt und damit den „Mutterschoß" bloßlegt. Wenn gleich zu Beginn des Märchens (III, 931) der böse Jerum mit seinem Gefolge aus Besserdich ausreitet und *voll Hoffahrt so recht auf dem höch-sten Pferde* sitzt, dann kehrt das Wort-Bild „auf hohem Pferde sitzen" wirklich zu sich und seinem Ursprung zurück, eine Wieder-

Herstellung, die nur einer, dem jede Sprachempfindlichkeit mangelt, als „Entstellung" bezeichnen kann. Ja, wir brauchen in der Spätfassung des Märchens — und all die gegebenen Beispiele stammen aus der Spätfassung — nur den allerersten Satz zu lesen, um uns über Brentanos Spracherlebnis und -intentionen klarzuwerden. *Es war einmal und niemals wieder ein König, der hieß Jerum* (ebda). „Es war einmal" — so fängt jedes wohlgesittete Märchen an, auch eine gute Anzahl der Brentanoschen[30]. Aber diese Formel, festgefrorenes Sprachgebilde, wird plötzlich lebendig und fragt sich: was steckt hinter meiner Fassade, was ist mein Ursprung? Und da wird es sich — wir können ein Erstaunen miterleben — klar darüber, daß „einmal" zweierlei bedeuten kann: zuerst, so wie es in der Formel gemeint ist, einfach eine Rückverweisung in die Vergangenheit, in welchem Falle der Akzent auf dem *war* liegt; dann aber auch, wenn die Betonung sich verschiebt: ein Mal, ein einziges Mal, und diese Sinnverzweigung produziert nun ihre eigene Unterstreichung. *und niemals wieder.* Was hier geschieht, grenzt ans Unheimliche, weil wir hinabsteigen in jene Tiefen, wo der Wahnsinn lauert, ein Wahnsinn, der geboren ist aus höchster Bewußtwerdung. Ein Wort hat sich durchschaut, das Einfachste erkennt sich als ein Zwiefaches. Wie kann man noch sprechen — ja, kann man überhaupt noch sprechen? —, wenn von Anfang an (wir haben, wohlverstanden, den ersten Satz unseres Märchens zitiert) die Sprache sich als Kobold erweist, wenn eine Sprachformel, eine Sprachformulierung so sicher wie das Amen in der Kirche, sich dem Abgrund zu öffnet. Vielleicht liegt hier die letzte Ursache von Brentanos Lebensnot und -leid. Dem Zauberer, dem Herrn über die Geister, dem die Sprache solches antut, bleiben nur die Worte und der brennende Gnadendurst Prosperos:

> I'll drown my book . . .
> And my ending is despair
> Unless I be reliev'd by prayer
> Which pierces so that it assaults
> Mercy itself, and frees all faults.

Wenn Prospero hier als Prospero spricht, so könnte er mit denselben Worten als Brentano sprechen und die herzzerreißende Lebens- und Leidensgeschichte eines deutschen Dichters erzählen.

Wir haben in unserem letzten Absatz die Diskussion so geführt, als habe die Sprache eine Eigenmacht, die über den Dichter hereinbricht, in welchem Falle Staigers vielstrapazierte Feststellung, Brentano „verfügt nicht über die Sprache, sondern die Sprache verfügt über ihn" zu Recht bestünde. Dabei aber wird übersehen, daß der Dichter es ist, der diese Bewußtseinserhellung an der Sprache vollzieht, daß die Sprache sein Material ist, aus dessen Durchleuchtung und Handhabung er sein Sprachspiel macht. Gerade eben dieses Doppelte: das Hingerissensein von der Sprache und das raffinierte Kalkül, mit dem der Dichter Sprache bewußt macht, sie zusammen ergeben die Dichtung, ein Doppeltes, ja Entgegengesetztes, das im Kunstwerk zu einer Einheit zusammenschießt. Wenn Nietzsche von Brentano gesagt hat, er sei der deutsche Dichter, der am meisten Musik im Leibe habe, dann hat er sicher an diese Einheit gedacht, und ich müßte mich sehr täuschen, wenn er nicht eine ganz bestimmte Musik im Sinne gehabt hätte: die Wagnersche, in der Intoxikation aus raffiniertester Berechnung gemacht wird und die Berechnung umschlägt in den Rausch. Ganz so verbindet sich in Brentanos Märchen das harmlos unschuldige Spiel, der ungehemmt bezaubernde Tanz der Worte — *das soll kein Kind betrüben* — mit der ertüfteltsten Mache, die dieses Spiel in Szene setzt[31].

Und wie er es inszeniert! Nur Unverstand könnte glauben, daß die endlosen, sprühenden, reimenden Wortkaskaden sich „automatisch" ergeben, gewissermaßen über den Kopf des Dichters hinweg. Freilich, Brentano konnte Verse machen auf Teufel komm raus, so als wären sie fertig und brauchten nur aus der Feder zu fließen. Aber fertig waren sie, weil seine Fähigkeit, sie zu verfertigen, grenzenlos war. Es gibt einen Ausspruch von ihm, der jeden Glauben an die Leicht-Fertigkeit seiner Reimerei Lügen straft: *Ich möchte alles in Prosa niederschreiben, wenn es nur ein anderer in Verse brächte: das Versemachen ist eine Hundearbeit. Es will sich nur keiner eingestehen, wie man sich dabei abrackert*[32]. Selbst wenn dieser Ausspruch, der uns nur aus zweiter Hand übermittelt ist, nicht authentisch sein sollte — ich bin durchaus geneigt, ihn für authentisch zu halten —, kann jemand im Ernst daran zweifeln, daß eines der vielen neuen Gedichte, mit denen er die Spätfassung des Märchens vom Fanferlieschen bereichert hat, eine andere Bezeichnung verdient als die einer *Hundearbeit*? Es ist, soweit mir bekannt, das reimendste Gedicht der deutschen Sprache. Es besteht aus 51 Zeilen, und diese 51 Zeilen weisen einen einzigen Reim auf: den Reim auf -*ant* (III, 1033 f.). Ursulus stellt sich der Köchin vor (sie kommt übrigens aus *Oberursel in der Wetterau*, wie sollte sie auch nicht, da sie ja als Küchen-Chefin und Schutzgeist über Ursulus steht?), in deren Bereich die Vögel ihn hineingeschmuggelt haben. Und er erzählt ihr, was er, wenn sie ihn in der Küche beschäftigt, alles für sie tun wird. Man würde es schier für unmöglich halten, daß es in der deutschen

Sprache so viele Tätigkeiten gibt, die auf einen -ant-Reim gebracht werden können: Hilfe bei der Arbeit, Verfertigung köstlicher Gerichte, Sorge für ihr körperliches Wohl einschließlich von Putz- und Toilettenfragen, aber — und hier nimmt das Gedicht eine Wendung ins Ernste — nicht minder Sorge um ihr seelisch-religiöses Wohl. Wir erwarten in dieser Sturzflut von -ant-Reimen das Wort: verwandt. Es erscheint — und zwar in einer Zeile, auf die, so scheint es uns, wenn wir sie erreichen, die ganze Reimerei von Anfang an abzielte: *Der Mensch ist auch mit Gott verwandt.* Alles was wir in unserer Ausführung über die Neufassung des Märchens vom Fanferlieschen deutlich machen wollten, scheint hier in der einen Zeile von Ursulus' Reimplapperei zusammengefaßt: Verweis auf den Ursprung und Heraufholen der Quelle, geschwisterliche Zusammengehörigkeit des Einen und Letzten mit der Vielfalt des Geschaffenen, der Brückenschlag von dem, was auf Erden unten, zu dem was im Himmel oben ist. Und weil hier in diesem Vers die Zugeordnetheit von dem Einen und dem All festgehalten wird, kann nun in den folgenden Zeilen vom Gebet, von dem frommen Wort gesprochen werden, das alle Phänomene der Welt, die in dem Schoße, in dem Schürzchen auf ihr In-die-Welt-Treten harren, „einbeschließt". Denn als seiner wertvollsten Fertigkeit, mit der Ursulus der Köchin dienen will, rühmt er sich seiner Gebetsgabe, durch die die ganze Welt, die Welt ganz, erfaßt wird, zum Lobe des Höchsten und zur Segenssprechung über all die unendlichen Einzeldinge, die aus des Höchsten Hand geflossen sind:

> *Drum ist auch Beten mir bekannt*
> *Für Haus und Hof und Leut und Land,*
> *Für Dürre, Hagelschlag und Brand,*
> *Für Wassersnot auf Meer und Strand,*
> *Für Kinder — und für Mutterstand*
> *Für Mücke, Maus und Elephant*
> *Und was je kam aus Gottes Hand*
> *Und ich in Orbis pictus fand,*
> *Worin die Seel' getüpfelt stand.*

Es ist das letzte Wort des alten Brentano, mit dem er sich an der Grenze des Schweigens, das er sich auferlegt hat, noch einmal zum Sprecher macht. Er spricht dieses letzte Wort, indem er wieder „heraufholt", was er einst in der Jugendzeit begonnen hatte. Und so ist es denn das Wort des alten Brentano, des alten Brentano im doppelten Sinne von: frühem und spätem Brentano. Und es ist das Wort, das wir schon einmal vernommen haben, als das Ende eines seiner schönsten Gedichte, das er, als er zu dichten anfing, in seinem frühesten Werk, dem „Godwi", erklingen ließ:

> *Alles ist freundlich wohlwollend verbunden,*
> *Bietet sich tröstend und trauernd die Hand,*
> *Sind durch die Nächte die Lichter gewunden*
> *Alles ist ewig im Innern verwandt*[33] (II, 156).

Diese glückliche Welt, in der alles sonst Unzulängliche Ereignis wird, ist das Märchen, die letzte „Kinderwahrheit", die, wenn auch so ganz anders als die Grimmsche, in Brentanos „Eigentümlichem" vielleicht gerade ihre vollen Triumphe feiert.

EICHENDORFF
UND DAS PROBLEM DER INNERLICHKEIT

I

Wenn ich die hier vorgelegte Betrachtung, die Bernhard Blume als Zeichen meines Dankes für eine zwanzigjährige persönliche Freundschaft und für nie versagende berufliche Förderung und Hilfe dargebracht sei, an eine seiner letzten Veröffentlichungen anschließe, an seine unübertreffliche Darstellung der „Moderne" in Fischers „Literatur Lexikon" und im Fischer „Almanach 79", dann nicht nur aus dem Grunde, daß diese Verbindung von allem Anfang an für meine Verbundenheit mit ihm unverkennbares Zeugnis ablegen möge. Ein sachlicher Bezug ist es, der einen solchen Einsatz nahelegt und erfordert. Als eines der Symptome, in denen sich das seelische Leiden, die menschliche Grundgegebenheit der „Moderne" im Dichtungsbereich verrät, diagnostiziert er den „Lyrismus der Zelle", Ausdruck einer „äußersten Naturferne und der absoluten Vereinzelung", ablesbar an den immer erscheinenden Bildern unerbittlicher „Eingeschlossenheit", die ihre poetischen Metaphern findet in allem, „was Grenzen, Mauern oder Wände um sich hat: Insel, Turm, Schloß, Park, Haus, Zimmer, Mönchs-, Irrenhaus- und Gefängniszelle". Zu dieser hochmodernen Malaise führt Bernhard Blume hin mit einem Zitat aus Camus' Roman „La Chute": „Vor hundertfünfzig Jahren waren es die Seen und die Wälder, vor denen die Leute in Rührung gerieten. Heute haben wir den Lyrismus der Zelle." Ein kluges Aperçu!, aber es ist ja gerade die beispielhafte Leistung von Blumes knapper und doch in jedem Satz inhaltsschwerer Übersicht, uns zu zeigen, daß was Camus als unser Heute entdeckt, eine lange Inkubationszeit in der Geistes-, Seelen- und Dichtungsgeschichte Europas habe.

Wie war es denn vor hundertfünfzig Jahren? Rührung der Herzen beim Anblick der poetisch beschworenen Seen und Wälder — gewiß! Und wem fiele nicht aus deutschem Bereich der Name eines Erzeugers solcher Rührung ein, der Name Eichendorffs, der — und auch die Zeitangabe „vor hundertfünfzig Jahren" stimmt beinah aufs Wort — Seen und Wälder (die Wälder wie kein zweiter!) in einen solchen Glanz getaucht hat, daß wir, die Nachfahren, sie kaum anders mehr erleben können als in diesem Licht? Aber neben diesem

Lyrismus von gestern steht auch bei ihm schon, verdeckt noch, jedoch darum nicht weniger bedrohlich, jener andere, den Camus den heutigen nennt; und zu jedem einzelnen Glied der Metaphernkette, die Bernhard Blume aus den Schauplätzen moderner Eingeschlossenheit schmiedet, zu Insel, Schiff, Turm, Schloß, Park, Haus, Zimmer, Mönchs-, Irrenhaus- und Gefängniszelle, fällt mir eine Eichendorffsche Geschichte, ein Eichendorffsches Lied, eine Eichendorffsche Situation ein, sie alle Wahrzeichen einer „absoluten Vereinzelung", die freilich — denn noch ist das Gestern nicht das Heute — nicht gesehen wird als unentrinnbares Verhängnis, als die Einzelhaft, zu der wir alle rettungslos verurteilt sind, sondern als die lauernde Gefahr, die dazu da ist, daß wir, uns bewährend, sie überwinden, als die Krankheit, für die wir alle anfällig sind und gegen die der Dichter, der Dichter in den Geschichten und der Dichter der Geschichten, gerade weil er selbst in so hohem Maße anfällig ist, uns immunisiert. Ja, Eichendorffs gesamtes Werk könnte gelesen werden als ein Protest gegen die Innerlichkeit — das Wort verstanden im weitesten Sinne, im Physischen als der abgeschlossene und abschließende Raum, im Seelischen als der Rückzug ins eigene Herz, die Abkapselung im Innern —, und wie immer in großer Dichtung ist der physische Schauplatz nichts anderes als das genau sichtbare Korrelat zum Zustand und Ereignis menschlicher Existenz, — ein Protest gegen den „Weltinnenraum", die Rückverwandlung der Schöpfung „draußen" ins dichterische Wort, Rilkes leidvoll heroischer Versuch, aus der menschlichen Not eines ganz und gar Modernen die Tugend des Poeten zu machen.

Die Tugend des Poeten Eichendorff aber heißt: Weltaußenraum. Es erübrigt sich gewiß der Hinweis auf den Freilicht- und Freiluftcharakter seiner Erzählungen, sie alle Wander- und Reisegeschichten, in denen dem Helden die weite Welt offensteht, jedes Haus und Heim nur hingestellt, damit sich immer aufs neue Gelegenheit und Anlaß böte, Abschied zu nehmen und auszuziehen. Und „hingestellt" in diesem Sinne sind die Dinge der Eichendorffschen Natur, Bezugs- und Orientierungspunkte nur, von denen aus sich Weltaußenraum artikuliert. Man hat ihm vorgeworfen, alle seine Landschaften hätten etwas Stereotypisches und Staffagehaftes — und wer könnte leugnen, daß sie es haben? Aber der Vorwurf ist gegenstandslos, denn bei seinen Landschaftskonstruktionen und -stilisierungen ging es ihm nicht um die Beschreibung einer anschaulich erkennbaren Wirklichkeit. Es ging ihm um das Erlebnis des Raumes, der beseeligenden Weite und Offenheit oder umgekehrt der quälend unseligen Enge und Abgeschnürtheit, und dies, nicht die Gegenstände der Natur, sondern den von den Gegenständen abgelösten

Raum, hat er wie kein zweiter als Erlebnismöglichkeit für uns erobert. In seinem schönen Aufsatz „Eine Landschaft Eichendorffs" hat Richard Alewyn solch stereotypische Darstellungen unter die Lupe genommen. Da sind keine Bilder, die abkonterfeit werden, sondern erzeugt wird Gefühl des Raumes als des Mediums, den die gegenwärtigen Dinge nur punktuieren, Gefühl der Weite und Öffnung, die in den sichtbaren Vordergrund hineinkopiert werden durch die typischen Eichendorffschen Adverbialkonstruktionen wie *von Ferne das Bellen der Hunde ... durch das stille Land das Gehen der Ströme ... über den Bergen das Leuchten der Sterne am Himmel.* Alewyn hat den amüsanten Versuch unternommen, diese dimensionalen Dehnungselemente aus einer Eichendorffschen Landschaftsbeschreibung herauszustreichen, und das Ergebnis zeigt, daß bei solcher Ausklammerung nicht etwa nur das Bild gegenstandsärmer wird, sondern daß es einschrumpft und zusammenfällt.

Lyrismus des Offen- und Aufgeschlossenseins — das ist die Signatur Eichendorffs. Aber nicht um sie geht es uns hier; es geht uns um die Gegenstimme, um das Pathos des Eingeschlossenseins, der versperrten Türen — „Huis clos", no exit wird es bei Sartre heißen —; und so wie es bei Eichendorff pro Kapitel einen Berg gibt, der im Fluge erklommen ist zu gar keinem anderen Zweck als dem, daß sich Aus-sicht öffne, Landschaft, deren Weite einem den Atem verschlägt, so gibt es bei ihm pro Kapitel ein Schloß, und daß all diese Baulichkeiten, ob prächtig oder bescheiden, ob wohnlich oder verfallen, Schlösser heißen, sollte uns aufhorchen lassen. Denn ein Schloß ist ein Ort, wo man ab- und ein- und ausgeschlossen ist. Gewiß, wir bewegen uns in seinen Erzählungen zumeist in den allerbesten aristokratischen Kreisen, und daß solche Herrschaften Schlösser bewohnen, sollte nicht wundernehmen. Aber geht Eichendorff mit seiner Schloßmanie nicht etwas zu weit? Da kommt der Taugenichts nach seiner abenteuerlichen Fahrt durch die *weite Welt* endlich an sein Ziel, die schöne gnädige Frau ist gefunden, morgen wird geheiratet, und auch ein schmuckes Plätzchen ist schon zur Stelle, in dem er sich mit seiner Künftigen häuslich einrichten soll. Der junge Graf hat es ihm geschenkt, weil er ihm und seiner schönen gnädigen Frau, die ja zum Glück niemand anderes ist als die Nichte des Portiers, aus triftigen Gründen wohlgesonnen ist. Ich will die Großzügigkeit des edlen Gönners nicht in Zweifel ziehen, aber ich vermute, es handelt sich um nicht mehr als ein hübsches Gartenhäuschen, zumal wir uns schwer vorstellen können, daß sich der Taugenichts in vornehmerer Umgebung behaglich fühlen würde. Aber wer so denkt, hat seine Rechnung ohne Eichendorff gemacht; denn was sein Taugenichts geschenkt bekommt, ist nicht weniger als ein *weißes Schlößchen*, von außen ganz prächtig anzuschauen — von außen versteht sich. Aber ein Schlößchen bietet Innenraum, und darum ist auch kaum anzunehmen, daß der Taugenichts, der wahre Eichendorffsche Mensch, sich von ihm wird umschließen lassen. Er hat nicht die geringste Lust zu solcher Eingeschlossenheit: *„gleich nach der Trauung"*, so eröffnet er uns und seiner schönen gnädigen Frau, *„gleich nach der Trauung reisen wir fort nach Italien, nach Rom."* Denn bei Eichendorff ist ein Schloß nur dazu da, daß man, wenn man wahrhaft lebt, nicht in ihm lebt.

Wer sich von seinen Wänden und Mauern, wer sich von Wänden und Mauern überhaupt umgeben läßt, der ist in Gefahr. Man kann die ganze Daseinskurve Eichendorffscher Menschen, ihr Hoch und Tief, ihre Freiheit und ihr Verfallensein nach den Räumen entwerfen, durch die sie sich bewegen, Außenraum das Feld sinnvoller und glückhafter Weltfahrt und -bewährung, Innenraum die Zone der Lebensstockung, des Schreckens und Selbstverlustes. So schon setzt sein erstes großes Prosawerk, der Roman „Ahnung und Gegenwart", ein: von fröhlich hoffnungsvoller Schiffsreise, die ihr überschwengliches Versprechen daher bezieht, daß draußen, in einiger Entfernung ein zweites Boot auf der Donau gleitet, von dessen Bug die Augen eines schönen Mädchens blitzen — bis zur Einkehr in der von hohen Bäumen eingeschlossenen Waldschenke, wo unser Held im Schlafe von räuberischem Gesindel überfallen wird, aus Todesgefahr nur dadurch gerettet, daß ein liebendes Wesen ihn über die Schwelle ins Freie trägt: das ist Friedrichs erster Tag, das ist, auf die zwei Eröffnungskapitel zusammengedrängt, menschlicher Grundgegebenheit Hochgefühl und Absturz. So zeichnet es sich in jeder Eichendorffschen Geschichte ab: wo Wände, wo Mauern sind, da lauert die *situation concentrationnaire*, physischer oder seelischer Tod, und wir wüßten nicht zu sagen, welcher von beiden der schlimmere sei.

Hier, in dem Anfangskapitel des ersten Romans, geht es blutig ernst zu. Aber ist es in der heiter spielerischen Lebensluft des Taugenichts denn etwa anders? Da ist das *prächtige Schloß* bei Wien, sein erstes Ziel, das ihm das Herz höher schlagen macht. Aber „von innen" sieht sich die Sache ganz anders an. Denn der große Herr in Staatskleidern, *breit und prächtig wie ein aufgeblasener Puter*, ist kaum gemacht, das Vertrauen des jungen Besuchers zu wecken, und daß er *immerfort wie der Perpendikel einer Turmuhr in der Halle auf- und abwandelte*, macht seine Gestalt vollends unheimlich. Eine solche Bewegung nämlich schneidet den Ausweg ab, und sie erinnert an das pendelnde Hin und Her eines Wachtpostens. Sagen wir zuviel, wenn wir ihn einen Gefängniswärter nennen? Doch wohl nicht; denn für dieses an sich schiefe und gekünstelte Bild von dem Perpendikel-Wächter hat Eichendorff eine eigentümliche Vorliebe, und wenn es in seinen späteren Werken, in der Erzählung vom „Schloß Dürande" etwa oder im Drama „Ezelin von Romano", wiedererscheint, dann handelt es sich nicht bloß um einen dicken Herrn in Staatskleidern, sondern wirklich um Gefängniswärter.

Aber all das ist Kinderspiel, zumal der Taugenichts sofort an dem Perpendikel vorbei in den Garten entweichen und das *prächtige Schloß* nie wieder betreten wird. Es gibt jedoch ein anderes auf seiner Lebensreise, und das ist ein Platz heilloser Eingeschlossenheit in mehr als einem Sinne. Es steht eingekeilt zwischen Bergesschluchten, und, schlimmer noch, es steht in Italien, in einem Lande, dessen Sprache der Taugenichts nicht versteht, so daß ihm, gänzlich auf sich zurückverwiesen, jedes Mittel zu menschlicher Kommunikation geraubt ist. *Das war nun doch aber*, so erzählt er treuherzig, *ganz seltsam auf dem Schlosse*. Seltsam ist freilich ein mildes Wort; denn hier gibt es unter anderen Seltsamkeiten einen jungen Studenten, der den Taugenichts mit himmelnd verdrehten Augen ansieht, ihm des Nachts Liebesständchen vor seinem Fenster bringt und schließlich unter Ausstoßung solch wilder, dem Taugenichts zum Glück unverständlicher Worte wie *curore — amore — furore auf beiden Knien schnell und immer näher* auf ihn zugerutscht kommt. Eine höchst riskante Situation — und man möchte diesen Anflug von Homoerotik einem Autor wie Eichendorff, der sich — freilich sehr zu Unrecht — des Rufes radikaler Risikolosigkeit erfreut, kaum zutrauen. Natürlich ist die ganze Geschichte herzlich harmlos, nichts anderes als das Resultat einer Identitätsverwechslung und vermeintlichen Kleidertausches, so wird es sich am Schluß herausstellen. Aber wir können es so leicht nicht nehmen. Denn die Liebe zum gleichen Geschlecht gehört zum Schloßkomplex: als Rückfall ans eigene Ich, sexuelle Gefangenschaft in sich selbst, als Liebe des Narziß, der, wenn er küßt, sein Spiegelbild umarmt. Nicht zufällig, so vermerkt Blume, erscheint Narziß als das große mythische Symbol der Moderne von Valéry über Gide zu Rilke, nicht umsonst ist die Sartresche Hölle der *huis clos* unter anderem auch eine Hölle der Homosexuellen.

„Huis clos" — wir sind noch nicht am Ende von des Taugenichts' Aufenthalt in dem seltsamen Schloß. Ehe er zu Ende geht, werden sich die Türen wirklich geschlossen haben. Eines Nachts hört er, daß von außen der Schlüssel im Schloß seines Schloßzimmerchens umgedreht wird — das Wortspiel Schlüssel-Türschloß-Schloßtür geht auf Kosten Eichendorffs und der deutschen Sprache —, und *oho, dachte ich, da haben sie dich eingesperrt ... da saß ich nun in der Fremde gefangen!* Unten im Garten aber sieht er Gräßliches auf sich zukommen. Da huschen im Dunkel seine Schloßgastgeber, jetzt seine Schloßgefängniswärter, ein blitzendes Messer unter einem Mantelüberwurf verborgen, keine Frage — für ihn jedenfalls keine Frage —, man will ihm ans Leben in dem Schloßzimmer, in dessen Türschloß man vorher vorsorglich den Schlüssel dreimal umgedreht hat. Und es wäre um ihn geschehen, wenn er sich nicht zum Glück — noch lebt er hundertfünfzig Jahre vor dem Lyrismus der Zelle — in einem Eichendorffschen Schloß befände, dessen Zimmer Fenster haben, durch die man, auch wenn die Tür dreifach versperrt ist, ins Freie springen kann, um im Weiten zu verschwinden.

Daß es Fenster gibt, ist das einzige, was mit der Existenz eines Schlosses auszusöhnen vermag. So voll Eichendorffs Werk von Aussichtstürmen ist — er nennt sie schlicht und einfach Berge —, von denen man in den schier unendlichen Weltaußenraum blicken kann, so voll ist es von Fenstern. An ihnen zu stehen, Wände und Mauern hinter sich und vor sich das, was keine Wände und Mauern kennt — es ist die hundertmal wiederkehrende Eichendorffsche Positur, und nur wer die existentielle Ausdruckskraft eines poetischen Bildes mißversteht, wird versucht sein, von einer stereotypen Pose zu sprechen. *Sie stand wohl am Fensterbogen* — *Am Fenster ich einsam stand* — so geht es von Gedicht zu Gedicht, und selbst die Einsamkeit hält keine Schrecken für den, der am Fenster stehen darf. Denn draußen ziehen junge Gesellen vorbei (und ist dort wirkliche Einsamkeit, wo man sich noch gesellen kann?) und singen das Lied der weiten Welt, von Felsenschlüften und Wäldern, von Quellen und Marmorbildern, von Gärten und Lauben, ja schließlich von mondscheinhellen Palästen — und ein Palast ist kein Schloß, denn er bezieht seinen Namen nicht von Einschließung, sondern von einem Berg, *mons Palatinus*, einem „Aussichtsturm" —, an deren Fenster wieder die Mädchen stehen und der Musik „von draußen" lauschen. Es gibt zu dieser in die Welt geöffneten Fenstersituation ein genaues Gegenbild. Da steht auch einer am Fenster, aber vor dem Fenster ist eine Jalousie herabgelassen, und anstatt herauszuschauen, blickt er in sich hinein. Auch da gibt es Musik und Bewegung, aber er hat sie im Rücken, ist ihr abgewandt, und keiner wird kommen, sich zu ihm zu „gesellen". Es ist die fensterlose Fenstersituation eines „Modernen" — sein Name: Tonio Kröger.

Wenn beim Taugenichts Eingesperrtsein und Lebensgefährdung nicht mehr waren als phantasiegeborene Verwechslungskomödie, so wird anderen Eichendorffschen Helden der Weg nach innen zu sehr viel ernsthafterem Verhängnis. Das Schloß, das den Jüngling Florio im „Marmorbild" umschließen wird, ist wahrhaft der Ort der Heillosigkeit und Verdammnis. Und wieder läßt sich allein aus dem Bild des Raumes, in den die große Verführerin, Frau Venus, ihr Opfer hineinlockt, das ganze Ausmaß der Bedrohung und Verlorenheit einer menschlichen Seele ablesen. Ehe noch Florio das marmorne Haus der Sündengöttin betritt, verirrt er sich in einen Lustgarten, von *Eisengittern* gegen die Außenwelt abgeschlossen, totenstill und menschenleer, so *als sei alles versunken*, im Hintergrund unter uralten Bäumen *verfallenes Mauerwerk*, vor dem er einen schlafenden Mann ausgestreckt findet, *er sah fast wie ein Toter aus.* Die Wege aber, die ihn in diesem Park aufnehmen, sind nicht offene Pfade, sondern *hohe Buchenhallen*, nein, nicht Alleen sondern Hallen, Innenräume also, die und er wird uns doch versichert, wir seien in einem Garten — abgeschirmt sind gegen das Licht von oben und die Dimension des Außen. Hier, in dieser Beschreibung des Venusparkes, ist ein Letztes an Seelenlandschaft gegeben; noch im Freien, ist Florio schon eingeschlossen in das Gespinst des Unheils. Aber all dies, dieser unverwechselbar Eichendorffsche Außenvorraum eines Marmorpalastes, ist nur Vorspiel zur inneren Verdammnis. Florios Seele ist vorbereitet — für das Schloß, das er bald darauf betreten und wo ihn die Sündenhölle bestürmen wird. Es geht uns hier nicht sosehr um das christliche Element von Heilsverlust und Erlösung, das der katholische Dichter in dem Kampf zwischen Venus und Maria um einen aufblühenden jungen Menschen vorführt; es geht um jenen Schloßhöllenraum, der nichts anderes ist als der bildgewordene Ausdruck des Falls in die Innerlichkeit. Wenn der böse Zauber Florio umstrickt, sinkt er in sich selbst zurück, ja dieses Zurücksinken *ist* überhaupt der böse Zauber, der sich an ihm vollzieht. Er findet sich *in Erinnerung verloren*, gemahnt an das Bild aus *allen Jugendträumen*, auf dessen Grunde Venus seit eh und je weste, versetzt in das Reich der Kindheit, einen abgezirkelten Rokokogarten mit seinen *künstlich geschnittenen Alleen* — was sind sie anderes als Baum-Wände? — und dem *einsamen Lusthaus* — natürlich ist ein Haus zur Stelle —, wo er *vor den alten Bildern stand*, Bildern von Türmen, Brücken, Alleen, die aber eben nicht Punkte und Gegenstände der äußeren Welt, der Welt außen sind, sondern festgehalten auf Abschilderungen in einem Interieur. Hier, in der Erinnerung an die Kindheit, das Kindheitshaus, tritt der Vater zu ihm und führt ihn mit seinen Erzählungen aus der eigenen Jugend noch tiefer „hinein" in abgeschlossene Zeiten und Bezirke.

Das Heillose, die Sünde, die im Venusschloß nach Florio greifen — was sind sie anderes als Re-flexion, Rückbeugung und Rückbezug auf sich selbst, hermetische Abgeschlossenheit im eignen Innern,

Lyrismus der Zelle? Es fehlt — und dies bei einem Dichter von vor hundertfünfzig Jahren! — dieser Einzelhaft einer Seele auch nicht der geringste Zug. Wenn Florio sich in dem Raum, in den die heidnische Göttin ihn gezogen, genauer umsieht, dann entdeckt er zu seinem Erstaunen, daß auf den Tapeten und Schildereien, mit denen die Wände — natürlich die Wände! — geschmückt sind, alle Damen, die sich da abgebildet finden, der Venus gleichen, und — wieviel erschreckender noch! — *alle Ritter auf den Wandtapeten* ihm selber. Das greift aus den Mauern nach ihm, die Spiegelbilder versuchen, ihn zu verschlingen: Narcissus redivivus. Ich wüßte keine schauerlichere Melodie aus dem Gesangbuch der Zelle zu nennen als diese Töne in dem Zauberberg der Venus — und daß das Wort *Zauberberg* auf der zweiten Seite unserer Geschichte schon erscheint, versehen mit der Warnung *Hütet euch!*, ist wohl mehr als ein belangloser Zufall. Freilich, wir sind bei Eichendorff und darum nicht verdammt in alle Ewigkeit. Siegreich gegen die Lyrik der Zelle erklingt die Lyrik des offenen Raumes: von außen dringt ein Lied, *ein altes, frommes Lied*, in den hermetischen Raum, gesungen von dem treuen Gesellen, der draußen auf dem See vorüberzieht, *hoch aufrecht und abgewendet stehend im Kahn*, abgewendet: das heißt das Venusschloß im Rücken. Es sind diese Töne, die das heilversprechende Gebet: *„O Herr, laß mich nicht verloren gehen...“* auf Florios Lippen bringen. Müssen wir fragen, wo er es spricht? Er spricht es hinaus, am Fenster stehend.

Wir müssen uns korrigieren. Auch bei Eichendorff gibt es bereits den Menschen, der in alle Ewigkeit verdammt ist, für immer gefangen in sich, und weil so gefangen, wohnhaft in der Zelle. Sein reichstes und wahrhaft erschöpfendes Bild hat Eichendorff schon in seinem Jugendroman „Ahnung und Gegenwart“ entworfen, in dem Porträt Rudolfs, des verlorenen Bruders — und verloren sei hier durchaus in seinem Doppelsinn verstanden —, der dunklen Folie, gegen die sich das Bild des hellen Bruders Friedrich abhebt, aber eben weil der Bruder, darum Sinnbild der tödlich gefährdenden Möglichkeit im eigenen Blute. Was er Friedrich und dessen Gesellen Leontin, wenn sie ihn schließlich auf seinem Schloß in einem großen Walde finden, von seinem Leben zu erzahlen hat, ist nichts anderes als der Bericht eines im eigenen Kreise Gefangenen, doppelt erschütternd, weil sein Weg ihn ruhelos von Ort zu Ort, von wilder Begebenheit zu wilder Begebenheit führte. Bei aller leidenschaftlich äußeren Bewegtheit zeichnet sich hier ein Leben im hermetisch versiegelten Raum ab. Denn — genialster Einfall eines Erzählers! — Rudolfs ruheloses Leben spielt sich unter nicht mehr als drei Menschen ab; wohin er sich wendet, und er durchrast Städte und Länder, er wird immer in den verschiedensten Masken und Verkleidungen auf dieselben drei, und nur diese drei, stoßen: die Zigeunerin, die Jugendgeliebte und den von allem Anfang an ihm vorbestimmten Rivalen und Feind. Ja mehr noch: Rudolfs stürmisches Leben ist im Grunde „abgeschlossen", ehe es überhaupt begann. Denn dem Kinde schon hatte die Zigeunerin prophezeit, was ihn am Ende seiner Weltfahrt erwarten wird, und alle Fluchtversuche Rudolfs, der Falle, die ihm von Anbeginn gestellt ist, zu entgehen, erweisen sich als vergeblich. Am Rande nur sei bemerkt, daß als Ausstrahlung von Rudolfs Leben das Motiv der Homoerotik, über dessen Zeichenwert für eine in sich befangene Existenz wir gesprochen haben, diskret in den Roman hineinspielt, diesmal in seiner Sinnbedeutung noch dadurch unterstrichen, daß es sich mit dem Inzestthema verbindet. Denn Rudolf, das wird sich aus seiner Lebensgeschichte ergeben, ist der Vater Erwines, jenes zwitterhaften Geschöpfs, das unter dem Namen Erwin in Knabenkleidern den leidenschaftlich geliebten Friedrich begleitet hat, den Geliebten, der also sein Onkel ist. Ein Eichendorffinterpret hat kürzlich bemerkt, daß all die Materialien, aus denen der Dichter die Lebensgeschichte Rudolfs aufgebaut hat, von der Zigeunerin bis zum Inzestmotiv, im Grunde unbekümmert dem Trivialroman entnommen sind, der zu Beginn des 19. Jahrhunderts üppig in Blüte stand. Das mag wohl sein. Aber von wahrem Interesse ist nicht sosehr die Herkunft des Stofflichen, sondern die Stelle, wo Abgegriffenes und Banales zu großer Dichtung und im Goetheschen Sinn „bedeutend" wird.

Wenn der unglückliche Bruder auf der Romanbühne erscheint, ist sein Leben abgeschlossen. Er hat sich in finsteres Gemäuer in einem dunklen, nahezu unzugänglichen Wald eingeschlossen, und es ist sicher kein Zufall, daß er sich als Ort für seine Eingeschlossenheit *die* Landschaft ausgesucht hat, die Friedrich, als er die Gegend betritt, als den Raum ihrer gemeinsamen Kindheit wiedererkennt, jener Kindheit, aus deren geschlossenem Kreis Rudolf trotz seiner wildbewegten Lebensreise im Grunde nie herausgefunden hat. Er ist, nicht anders wie Florio im „Marmorbild", in sich zurückgesunken, zurückgezogen ins Interieur, verloren in seine Innerlichkeit. In seinem Aufsatz über die „Moderne" zitiert Bernhard Blume als Schlüsselstelle einen zentralen Satz aus Sartres „Les Séquestrés d'Altona": „Es gibt viele Methoden, einen Menschen einzuschließen. Die beste ist, es so einzurichten, daß er sich selbst einschließt" — und so, genau so, hat sich Rudolf eingerichtet. *„Mein unruhiges und doch immer in sich selbst verschlossenes Gemüt"* — das sind die Worte, mit denen er sich in seinem Lebensbericht selbst charakterisiert, und vorher schon, gleich nach der ersten flüchtigen Begegnung, hatte Leontin den Freund Friedrich, dem die Rettung des unglücklichen Bruders als eine unabdingbare Pflicht erschien, gewarnt: er möge sich hüten, denn das Meer sei nicht so tief, wie der Verlorene *„in sich selbst versunken ist. Nimm dich in acht! Er zieht dich eher schwindelnd zu sich hinunter, ehe du ihn zu dir herauf"*.

Rudolf ist im radikalsten Sinne einsam — aber er ist nicht allein. Er hat Menschen um sich, freilich Menschen von einer Art, die die Geselligkeit, von der sein Schloß widerhallt, zu einem wahren Pandämonium der Einsamkeit macht. Sie alle sind geistig Gestörte, ein schauerlicher Hofstaat von Narren, rettungslos in sich selbst Versunkene, über die der zutiefst in sich selbst Versunkene wie ein Irrenhauswärter präsidiert. Diese absurde Welt, die sich hier entfaltet, ist nicht, wie der sorglose Leser wohl vermuten möchte, ein bizarr romantischer Einfall, der leichtfertig mit einem Schuß schwarzen Humors sein Spiel treibt. Was uns in dieser Schloßgesellschaft vorgeführt wird, ist eine Schreckvision, die den Schrecken vorausnimmt, der in der modernen Dichtung als unabdingbare Wirklichkeit erscheint. Darum auch enthüllt Rudolf in seinem Kommentar diesen Narrenbetrieb nicht etwa als eine verrückte Kuriosität, eine Kuriosität der Verrückten, sondern als das echte Abbild der „wirklichen" Welt. Es sind Worte von einer „Modernität", daß den Leser das Grausen ankommen kann:

„Und was ist es denn mehr und anders", sagte Rudolf, „als in der anderen gescheiten Welt? Da steht auch jeder mit seinen besonderen, eigenen Empfindungen, Gedanken, Ansichten und Wünschen neben dem andern wieder mit seinem besonderen Wesen, und wie sie sich auch, gleichwie mit Polypenarmen, künstlich betasten und einander recht aus dem Grunde herauszufühlen trachten, es weiß ja doch am Ende keiner, was er selber ist oder was der andere eigentlich meint und haben will, und so muß jeder dem andern verrückt sein, wenn es übrigens Narren sind, die überhaupt noch etwas meinen oder wollen".

Die ganze Welt ein Riesenirrenhaus, belegt mit Häftlingen in ihren Einzelzellen, jeder seine saugenden Fangarme ausstreckend, in denen er nichts fangen wird als wieder nur sich selbst, den er ebensowenig kennt wie den Häftling nebenan — hat der Lyrismus der Zelle Eindringlicheres und Beklemmenderes hervorgebracht als diese Stelle des „gemütvoll harmlosen" deutschen Romantikers Eichendorff?

Auch der Irrsinn, gerade der Irrsinn ist einer der sichersten Wege, sich selbst einzuschließen; und da in großer Dichtung jedes äußere Datum nichts anderes ist als eine Verweisung auf die Grundbedingtheit des Menschen, kann man die Formel auch umkehren: wer sich in sich selbst einschließt, ist auf dem Wege zum Irrsinn. Einschließen aber kann man sich nicht nur zwischen Wänden im Raum, sondern ebensosehr zwischen den Kulissen der Zeit, in der Vergangenheit, die sich gegen die Offenheit und Kontinuität des Geschehens und der Geschichte abdichtet. Es kann wie bei Florio im „Marmorbild" die Regression in die eigene Knabenzeit sein, wie bei Rudolf das Verhaftetsein an die drei Urbilder aus den Kindheitstagen oder aber, wie bei dem Irren, mit dem wir in Rudolfs Schloß nähere Bekanntschaft schließen, die närrische Pose eines Menschen, der sich historisch zurückversetzt, ein Don Quixote beinah, wäre er nur nicht ein so abgefeimter Clown. Der junge Mann trägt *ein ledernes Reiterwams . . . seine ganze Tracht überhaupt altdeutsch . . . seine blonden Haare hatte er über der Stirn gescheitelt und in schönen Locken über die Schultern herabhängen.* Wenn er dann zu reden beginnt, geht es mit Kreuzzügen gegen die Heiden und sonstigen edel begeisterten Unternehmungen hoch her, um so zu enden: *„Ich versichere euch aber, ich bin wohl eigentlich ein Ritter, aber ihr faßt das nur nicht, ihr anderen Leute, ich halte aus ganzer Seele gleichsam auf die alte Ehre, aber seht, das ist ganz anders zu verstehen — das ist — aber ihr versteht mich doch nicht — das ist . . .",* und hier bricht das Gefasel ab.

Hier zeigt sich der bei Eichendorff immer wieder durchbrechende Spott gegen die vom Mittelalter berauschte Deutschtümelei der sternbaldisierenden Romantik. In seinem zweiten großen Roman aber, in „Dichter und ihre Gesellen", wird er mit seiner Ablehnung der Verrücktheit, sich einzumauern in eine abgeschlossene Geschichtsphase, noch deutlicher. Da gibt es den närrischen oder halbnärrischen Maler Albert, der, nicht anders wie Sartres *séquestrés d'Altona,* nicht loskann von dem historischen Ereignis, das sein Dasein einmal für immer bestimmte. Das Jahr 1813, der Befreiungsaufbruch gegen Napoleon, ist eine Fixation für ihn geworden, *„die dunkle Führung überhaupt, die in meinem Leben waltet".* Er hat sich einen Schrein erbaut, vor dem er den großen Moment, mumifiziert für alle Ewigkeit, wie ein Heiligtum anbetet. Aber hören wir Eichendorff selbst, und hören wir, wie es in der Beschreibung von Alberts Klause von Türen, geschlossenen Räumen, Wänden nur so wimmelt: *So schritten sie eilig durch einen langen Korridor zu einer schweren, eichenen Tür, die Albert mit einer gewissen Feierlichkeit öffnete. Es war sein Atelier, ein hohes ritterliches Gemach, an dessen schmuckloser Hauptwand ein großes, mit der Jahreszahl 1813 bezeichnetes Schwert hing, um das sich ein verwelkter Eichenkranz wand.* Bemerkenswert ist bei diesen Narrenporträts noch, daß

Eichendorff sich mit seiner Abwehr gegen die historische Kalzifizierung ins eigene Fleisch schneidet. Denn die ritterlich altehrwürdige Gesinnung und die Kampfbereitschaft gegen das moderne Heidentum, die er dem Verrückten auf Rudolfs Schloß in den Mund legt, Alberts Festhalten an dem großen Moment von 1813 — was sind sie anders als Kernstücke seines eigenen Glaubensbekenntnisses, Höhepunkte seines eigenen Lebens, und der Spott, der sich hier über sie ergießt, gleicht einem *Hüte dich!*, an das eigene Herz gerichtet, in der Erkenntnis, daß gerade unser Innerlichstes zum Kerker werden kann, indem wir uns selbst gefangensetzen.

Ja, alles kann zum Kerker werden — und hier gilt es, Camus' Aperçu zu qualifizieren —, auch die Seen und Wälder, gerade die Seen und Wälder, von denen die unverwechselbare Eichendorffsche „Rührung" ausstrahlt. Eines seiner schönsten Gedichte, „Die Heimat", gerichtet an den geliebten Bruder Wilhelm, endet in seiner ursprünglichen Fassung, die erst der Dichtersohn Hermann gemildert und ihrer existentiellen Verschrecktheit beraubt hat, mit den Zeilen:

In dieses Sees zauberischen Ringen
Gehn wir doch unter, ich und du,

und das Scheitern, das Untergehen im Wasser, Gefangensein auf dem Grunde, während auf der Oberfläche das Leben, *der Strom der Tage mit leichten klaren Wellen* vorüberzieht („Marmorbild") — es sind Urelemente Eichendorffscher Dichtung, sie sind ihr eigentümlicher Zauber, Zauber in dem Sinne, in dem Eichendorff dieses Wort hunderte Male selbst verwendet hat, als Bann, als Verhaftetsein, als Gefängnis, voller Beseligung gewiß, weil in ihm des Menschen Innerstes, seine Innerlichkeit voll erblüht, aber dabei — oder gerade darum — Konfrontation mit dem Tödlichen, mit dem ausweglosen — no exit — Verloren- und Abgesperrtsein, dem als Mahnung an sich selbst, als Mahnung an alle Zellenbewohner Eichendorff unermüdlich sein *Hüte dich! Bleib wach und munter!* entgegengehalten hat.

Wie die Seen, so auch die Wälder, die eigentliche Kennmarke Eichendorffscher Dichtung. Sie sind der Ort des Glückes und der Ruhe, des stillen, wahren Friedens — *grünes Zelt*, so heißen sie dann, denn ein Zelt ist der Raum, wo man, wenn auch innen, immer noch außen ist, eingehegt, aber nicht gefangen, geschützt zwar vor der zerstreuenden geschäftigen Welt, aber nicht zwischen Wänden, oder wenn doch Wänden, dann solchen, die dem Windeshauch aus der Weite nachgeben und die man im Handumdrehen abbrechen oder hochrollen kann. Aber es gibt auch die anderen, die dunklen, die einfangen und nicht wieder freilassen, Plätze schauerlicher Verirrung, wo man festgebannt ist und ausgeschlossen aus der Gemeinschaft der Lebenden. Dann heißt es nicht mehr: *du grünes Zelt* oder *Im Wald, im grünen Wald, da ist ein lust'ger Schall;* dann erscheint die Formel, wieder und wieder benutzt in Eichendorffscher Dichtung: *Kommst nimmermehr aus diesem Wald.* Dann, und schon vor hundertfünfzig Jahren, werden selbst die Quellen der Rührung zu Instrumenten, auf denen der Lyrismus der Zelle erklingt.

Zu allen Metaphern menschlichen Eingeschlossenseins, zu allen Schauplätzen des Alleinseins, die Bernhard Blume katalogisiert, wüßten wir, so unsere Behauptung, als Beitrag zu seinem wahrhaft bedeutenden geistes- und seelengeschichtlichen Panorama eine Entsprechung bei Eichendorff. Aber eine Korrektur ist vonnöten: zu allen — mit einer Ausnahme. Was es bei ihm nicht gibt, was es bei ihm nicht geben kann, ist die Mönchszelle. Denn ein Mensch, dessen Leben Hingabe und Dienst an Gott ist, lebt per Definition nicht in einer Zelle. Es ist wahrhaft erstaunlich, wie genau die Rechnung aufgeht. Klosterbrüder, fromme Einsiedler gibt es in seinem Werk in beachtlicher Fülle; die Helden seiner beiden großen Romane, Friedrich in „Ahnung und Gegenwart", Victor in „Dichter und ihre Gesellen", werden ihre letzte und höchste Bestimmung als Anachoreten finden, der alte Don Diego in „Eine Meerfahrt" lebt nach dem Scheitern seiner Entdeckungsexpedition, ganz dem Dienste Gottes hingegeben, allein auf seiner eldoradischen Insel. Aber Mönche oder Klausner heißen sie bei Eichendorff nicht, weil das Wort Mönch Vereinzelung, das Wort Klausner Abgeschlossenheit suggerieren würde. Genau dies aber ist nicht die existentielle Gegebenheit derer, die sich voll ihrem Gott geweiht haben. Und unser letzter Blick umfängt sie, die ins Höchste Eingekehrten, frei im weit Offnen stehend: Don Diego auf dem Felsen mit dem Blick auf das grenzenlose Meer, Victor *auf der Höhe*, die Verse intonierend, mit denen der Roman enden wird: *„Wir ziehen treulich auf die Wacht"*, und Friedrich aus der Kirche in den Klostergarten tretend, von dem aus sich die Fülle der Länder und Ozeane überblicken läßt. Wie hoch muß ein „Aussichtsturm" sein, um das Panorama freizugeben, mit dem der Roman uns entläßt? Es sei hierher gesetzt — als triumphale Zurückweisung und Überwindung all dessen, was Mönchszelle genannt werden könnte:

Beruhigt und glückselig war Friedrich in den stillen Klostergarten hinausgetreten. Da sah er noch, wie von der einen Seite Faber zwischen Strömen, Weinbergen und blühenden Gärten in das blitzende, buntbewegte Leben hinauszog, von der anderen Seite sah er Leontins Schiff mit seinem weißen Segel auf der fernsten Höhe des Meeres zwischen Himmel und Wasser verschwinden. Die Sonne ging eben prächtig auf.

Bedürfte es noch eines Beweises, hier aus dem poetischen Bild des gottergebenen Menschen, dem sich die Weite des Raumes, das Grenzen-, Mauern- und Wändelose öffnet — und wo fände sich in der deutschen Dichtung noch einmal eine so atemberaubende Weit-Sicht? —, hier läßt sich zweifelsfrei ablesen, daß das existentielle Problem, von dem wir sprechen, im letzten Sinne ein religiöses ist. Wo Mauern und Wände nahe sind, da ist Gott fern, und wieder läßt sich die Formel umkehren: wo Gott fern ist, da gibt es zwangsläufig Wände und Mauern. Seelische Krankheit ist nichts anderes als Erkrankung des religiösen Sinnes; keiner weiß es besser als Rudolf, das Urporträt des kranken Menschen, das Eichendorff in seinem ersten großen Prosawerk schon gezeichnet hat. Nachdem alle Versuche Friedrichs, ihn ins Freie zu ziehen, gescheitert sind, wird der Verlorene den Finger auf seine eigene Wunde legen. *„Du meinst es gut", sagte Rudolf finster, „aber das ist es eben in mir: ich kann nicht glauben."* Niemanden wird diese Eichendorffsche Diagnose erstaunen. Aber ist es denn nur die spezifisch Eichendorffsche, ist es denn nicht auch die Diagnose dessen, der früher und klarer als alle seine Zeitgenossen die tödliche Erkrankung des „modernen" Menschen erkannt und beschrieben hat? Wieder verdanken wir das entscheidende Zitat Bernhard Blume, jene Worte aus einem Brief, den Friedrich Nietzsche seinem Freunde Overbeck geschrieben hat. „Zuletzt", so heißt es da, „gab es für alle die, welche irgendwie einen Gott zur Gesellschaft hatten, noch gar nicht das, was *ich* als Einsamkeit kenne."

II

Wir haben die poetischen Bilder und Gebilde befragt. Aber es gibt ein anderes Eichendorffsches Dokument, in dem er sich ganz direkt zum Problem der Innerlichkeit äußert, den Begriff jetzt so spezifisch genommen, wie wir ihn in der deutschen Geistesgeschichte zu fassen gewohnt sind. Ich meine das Werk des alten Dichters, sein überhaupt letztes, im Todesjahr 1857 veröffentlicht, „Die Geschichte der poetischen Literatur Deutschlands". Man übergeht es gern mit verlegenem Schweigen; das Produkt eines verbohrten Greises, so heißt es entschuldigend, wenn man davon überhaupt Kenntnis nimmt, dessen doktrinärer Katholizismus ihm die Einsicht in das Essentielle und Eigentümliche deutscher Dichtwerke verstellt hat, gelegentlich ein gelungenes literarisches Porträt, etwa das Lessings oder das einiger seiner Zeitgenossen, Novalis', Kleists, Arnims,

Brentanos, im ganzen aber eher ein Ärgernis. Es scheint mir ein schiefes Urteil, auch wenn man zugibt, daß die Polemik gegen den Protestantismus enervierend und monoton sein mag und daß man sich nicht gar zuviel Aufschluß über die deutsche Dichtung versprechen darf, wenn der Autor an jeden seiner Protagonisten so beharrlich die Frage stellt: „Sag', wie hast du's mit der Religion?" Aber im eng dogmatischen Sinne ist diese Frage nicht gestellt; was Eichendorff nachzeichnet, und mit erstaunlicher Klarheit, ist der Weg in die Innerlichkeit, in die Vereinzelung und Vereinsamung, die das Verhängnis und Leiden der „Moderne" werden sollten. Am Anfang dieser Straße sah er den Protestantismus, die Figur Luthers, *ein* Mann allein gegen die weite Welt, dasselbe Bild, das auch Bernhard Blume aufruft als das früheste in einer Reihe, an deren Ende der Zellenbewohner stehen wird.

Wie sehr, wie ausschließlich es Eichendorff um diesen einen Aspekt der großen Glaubensspaltung geht, um die Verlegung der höchsten Instanz, der religiösen Energien ins Innere, in das eigene Gewissen, wird aus jeder Bemerkung deutlich, die er über Kampf und Sieg des Protestantismus zu machen hat. *Die Reformation hatte, wie schon oft bemerkt worden, die geoffenbarte Wahrheit mehr oder minder von deren individueller Auffassung und der Empfindung jedes einzelnen abhängig gemacht* — so heißt es in zahllosen Abwandlungen immer wieder; und eine solche Feststellung entspringt weniger dem Bestreben, das Christentum Luthers getreu aufzufassen — denn wo hätte er, „das Wort sie sollen lassen stahn", die Wahrheit von deren individueller Auffassung abhängig gemacht? —, sondern eher dem besorgten Bemühen, Einzelempfindung, die Eingeschlossenheit in sich selbst, deutlich und polemisch abzuheben gegen die Offenbarung, welches Wort wir durchaus in seinem eigentlichen Sinne verstehen müssen. Es geht also in Eichendorffs Literaturgeschichte gewiß nicht um eigentlich literarische Fragen, aber auch nicht um spezifisch religiöse, oder um solche eben nur insoweit, als menschliche Existenz und Verhaltensweise im letzten Grunde von dem Verhältnis des Geschöpfs zu seinem Schöpfer bestimmt ist.

Bis in kleine unscheinbare Einzelheiten hinein ist dieser Ansatz zu verfolgen. Da spricht er, der sonst historische Ereignisse kaum in den Umkreis seiner Betrachtung einbezieht, von der Türkengefahr des 16. Jahrhunderts, von Karls V. vergeblicher Bemühung, die europäische Welt gegen den Einbruch der Ungläubigen zu mobilisieren. Der Schuldige für die Apathie der deutschen Fürsten — als wären die anderen bereitwilliger zur Hand gewesen! — ist leicht gefunden. *Soll dies die gerühmte damalige Einkehr zur Innerlichkeit sein, so war es wenigstens eine Umkehr von Lieb und Eintracht zu eitel Haß und Eifersucht und Mißgunst.* Die Spitze gegen den Geist der Reformation verrät sich deutlich, aber das, was ihn in Harnisch bringt, ist doch mehr. Seine Anklage und Empörung richten sich gegen die Preisgabe, die Verengung des christlichen Raumes, im ganz konkret geographischen Sinne gemeint, die hier interessanterweise koordiniert wird mit der *Einkehr zur Innerlichkeit.* Es kann unter solchem Gesichtspunkt dann auch nicht überraschen, daß ihm eines der liebsten „literarischen" Dokumente Novalis' Aufsatz über „Die Christenheit oder Europa" ist. Er füllt einen großen Teil seines Novaliskapitels mit Auszügen aus diesem pseudo-historischen Glaubensbekenntnis, in dem Raum, Erd-Teil, mit geistig seelischer Energie in eins gesetzt und gesehen wird.

Aber all das ist Seitengeplänkel. Der Frontalangriff richtet sich gegen die *Selbstgenüge, die Heiligsprechung der subjektiven Eigenmacht,* den Rückzug und Rückbezug aufs Innere also, dem er die deutsche Dichtung, zumindest eben seit der Reformation, verfallen sieht. Dabei macht es dann keinen Unterschied, worin dieses Innere verankert ist, von welchem menschlichen Zentralorgan es seine Kräfte ausstrahlt, ob von dem inneren Licht der Vernunft oder der inneren Schwingung des Gefühls. Ja, bei einem alten Romantiker mag es erstaunen, daß die leidenschaftlichsten Attacken nicht sosehr gegen die Rationalisten wie gegen die Empfindler und Empfindsamen geritten werden. Die hohe Gefühlskultur, auf die das deutsche Geistesleben sich so viel zugute hielt, wird hier erbarmungslos denunziert. Alles prononciert Gemüt-liche ist ihm ein Graus, nicht nur die platt bürgerliche Sentimentalität der Ifflands, Kotzebues und Lafontaines, nicht nur die frömmelnde und himmelnde von Millers Klosterbruder Siegwart, dessen Geschichte er schlicht einen unfreiwillig komischen *Rührbrei* nennt, sondern von einigen Respektverbeugungen abgesehen auch die edle, in deren Energiefeld sich höchste deutsche Dichtung angesiedelt hatte. Daß *alles Objektive in dem subjektiven Gefühl des Dichters aufgegangen* sei, daß die einzelne und eigene Stimme des Dichters, und nur sie, *in den Worten Gottes, in den Gesängen der Engel wie in den Flüchen der verdammten Teufel* zu vernehmen ist — darin besteht sein Haupteinwand gegen Klopstocks „Messias"; *überall,* so hören wir, und das ist durchaus als Tadel gemeint, *überall hat das Lyrische, Elegische und Rührende die plastische Erzählung überwältigt,* und kein Wunder, da doch — man möchte kaum glauben, daß ein Romantiker spricht! — Klopstock durch einen Traum, ein inneres Gesicht also, zu seiner Messiade inspiriert worden sei. An verschiedenen Stellen und ganz gegen die chronologische Anlage seines Buches kehrt Eichen-

dorff zu dem großen Gegenstand zurück, und die Quintessenz seines Urteils lautet: *Lauter Empfindung und endlose Reden über diese Empfindung.*
Es versteht sich, daß Goethes Werther einen anderen eklatanten Probefall abgibt. Was die Zeitgenossen als eine Verherrlichung des überreichen Herzens begeistert hatte, das erscheint Eichendorff einwandfrei als eine *Krankheit*, womit er Goethes eigene Diagnose, das Wort von der „Krankheit zum Tode", aufnimmt, das die Empfindler so großzügig überlesen haben und das erst Kierkegaard in seiner Generalabrechnung mit dem Zeitgeist des 19. Jahrhunderts voll in den Mittelpunkt gestellt hat. Die Ursache dieser Krankheit, der giftige Infektionsherd, liegt auf der Hand: *eben jenes unordentliche Überfüttern des subjektiven Gefühls*, und es ist hier in diesem Zusammenhang, daß er das einzige Mal ein Zitat aus Goethes Roman einrückt: nicht zufällig das Wort Werthers, in dem er bekennt, er habe sein Herz gehalten wie ein krankes Kind. Was notwendig zu Elend und Untergang führen muß, ist die monomane Beschäftigung mit dem eigenen Innern, das Verliebtsein in sich selbst, der Narzißkomplex; und so ausschließlich hört Eichendorff diesen Ton, daß er die Gegenstimme, den Weltumarmungsdrang Werthers, seinen Protest gegen „Grenzen, Mauern oder Wände", gar nicht aufnimmt. Wer sich zurückbeugt über sein eigenes Bild, sein eigenes Herz, dem öffnet sich nicht die Weite, sondern der Abgrund, die Schlucht, in der er sich verfängt. Darum auch verweist Eichendorff mit höchster Genugtuung auf die Einsicht, die Friedrich Heinrich Jacobis Woldemar am Ende, nach seinen Experimenten mit der *Humanoria einer gänzlich unpositiven Religion*, gewinnt: es schaudere ihm, so lesen wir, *zuletzt vor dem Abgrund an dem er noch stand: vor den Tiefen seines Herzens. Bei jeder Gelegenheit wiederholte nachher Woldemar: Wer sich auf sein Herz verläßt, ist ein Tor!*
Diese gefährliche Verirrung menschlichen Seins und Verhaltens hat bei Eichendorff einen Namen, wiederholt fast bis zum Überdruß, instrumentiert mit allen Registern der Ablehnung: Zorn und Verachtung, Argumentation und Verspottung — der Pietismus. Er kann sich mit seiner Entlarvung gar nicht genug tun, noch auf den Schlußseiten seines Buches, da er sich schon den Allerjüngsten zuwendet, der Generation, die seine eigene ablösen wird, holt er zu einem letzten Schlage gegen die Adepten der Innerlichkeit aus. Der Tenor ist immer der gleiche, ein Generalnenner, unter den schon das Aufkommen der religiösen Bewegung im 16. Jahrhundert gestellt war: die Pietisten waren *in das Grenzenlose individueller Empfindung*

geraten ... Es war weniger eine Religion als eine häusliche Privat-
andacht ... Aus dieser Individualisierung des Christentums aber
entstand einerseits der verhätschelnde Kultus des menschlichen
Herzens und daher das läppisch Tändelnde und Süßliche eines gott-
selig schwelgenden Selbstgenusses, ... andererseits erzeugte die
Einbildung einer solch persönlichen Liebschaft mit Christus sehr
natürlich auch jene Art von hochmütiger Zerknirschung, die sich
für ein ganz absonderlich auserwähltes und begnadetes Werkzeug
Gottes hielt.

Die ganze Sturzflut der Sentimentalität und Schwärmerei wird dem
Kult der Innerlichkeit angelastet, das *frevelhafte* Sektierer- und
Konventikelwesen mit seiner undelikat absonderlichen Konfessions-
wut — und das Wort *absonderlich* dürfen wir hier auch in dem eben
angezogenen Zitat durchaus in seiner eigentlichen Bedeutung, im
Sinne von einsiedlerischer Isoliertheit, verstehen. All dies sind ihm
Symptome einer seelischen Verweichlichung und Verweiblichung,
wie er denn gern den ganzen Pietistenschwarm mit Kapotthütchen
und in gschamig prüdem Hauskleid vor sich sieht. Diesem fatalen
Rührbrei-Geschmack assimilieren sich sogar die ernst erhabensten
Gegenstände, ja gerade sie, und dies selbst noch in den Höhenbereichen deutscher Dichtung. So ist auch Klopstock gründlich affi-
ziert, *ja, einer seiner Teufel ist geradezu sentimental und hat sich*
durch seine Liebenswürdigkeit die Teilnahme der gerührten Frauen
gewonnen. Und umgekehrt ist Eichendorffs Sympathie für Lessing
zum großen Teil seinem Respekt vor dessen tapferer Männlichkeit
zuzuschreiben, die dem Geschmack gerührter Frauen keinen Tribut
zollte.

Hand in Hand mit der gefühlvollen Weichlichkeit geht der pie-
tistische Quietismus, auch er nichts anderes als das Resultat inten-
siver Selbstbespiegelung. Dabei scheint Eichendorff die Neigung zum
Immobilismus schon im Nationalcharakter der Deutschen angelegt.
In dem allerersten Satz seiner Literaturgeschichte bezeichnet er —
und das ist an dieser Stelle durchaus als Lob gemeint — die deutsche
Nation als *die gründlichste, innerlichste, folglich auch die beschau-*
lichste unter den europäischen Völkern; aber wenn er dann fortfährt: *mehr ein Volk der Gedanken als der Tat,* so ist hier doch
schon an eine Gefahr gerührt, die zu guter Stunde, eben unter dem
Einfluß des Pietismus, zu exzessiver Beschaulichkeit, zum Quietismus führen wird. Und wieder findet er seine Spuren in der Literatur
dort, wo der Geist, der „die Stillen im Lande" gezeugt hat, die
Dichtung beherrscht. Darauf geht die Handlungsarmut, grob gesprochen die Zähigkeit und Langeweile, in so vielen literarischen

Produkten zurück, nicht zuletzt auch wieder im „Messias": *Daher in seinem Gedicht die auffallende Armut an Handlung und lebendiger Anschauung; Gott und Menschen und Engel und Teufel machen eben nichts als lange rhetorische Debatten führen über das, was und warum sie es tun wollen.*

Nun ist die Aufdeckung dieser Folgen, die Protestantismus und Pietismus für das geistige und literarische Leben Deutschlands hatten und die Eichendorff als Vorwürfe formuliert, gewiß nicht originell und neu. Aber das Sündenregister, das er aufrollt, schließt Beschuldigungen ein, die man üblicherweise dem Pietismus, jedenfalls dem Pietismus direkt, kaum vorhalten würde. Da ist der Pantheismus, die *pantheistischen Dithyramben,* die er den frommen Brüdern und Schwestern in die Schuhe schiebt. Nun ist bei ihm, dem strenggläubigen Katholiken, die Ablehnung der pantheistischen Häresie ohne weiteres verständlich, aber daß er sie so betont mit dem Pietismus verbindet, mag wundernehmen. Oder vielleicht eben nicht? Ist doch der Pantheismus nichts anderes als das Unterfangen, Gott zu verinnerlichen, ihn einzuschließen in die eigene Schöpfung, ihn seines Wesens als des Oberst Leitenden, als des Außen-Seienden zu berauben. Die Verlagerung in die Immanenz, und sei es auch die Immanenz der Gesamtschöpfung, ist für Eichendorff eine Verengung des Gott-Raumes; man übersetze nur das Wort aus dem Lateinischen als: das Innen-Bleiben und Innen-Wohnen, um seinen Protest ganz in der Linie, die wir hier verfolgen, zu verstehen. Ja, Pantheis mus bedeutet ihm noch mehr, noch Schlimmeres. Denn ist einmal der Schritt getan, Gott aus dem radikalen Außen hereinzuziehen, dann gibt es kein Halten mehr: er geht der weiten Welt verloren und wird gefangengesetzt in der engsten Zelle, dem individuellen menschlichen Herzen. Wie groß und echt auch seine Liebe zu Novalis, in dem er den Wiedererwecker deutscher Poesie nach ihren langen Ab- und Irrwegen feiert, den Tadel pantheistischer Ketzerei kann er ihm nicht ersparen. Mit Besorgnis und energischer Ablehnung zitiert er eine Äußerung des Novalis, die, so behauptet er, *nur pantheistisch gedeutet werden* kann, obwohl uns ein solcher Bezug durchaus nicht auf der Hand zu liegen scheint, oder eben nur dann, wenn wir diese religiöse Gesinnung so verstehen, wie es oben angedeutet wurde. „Indem das Herz", so lautet die Novalisstelle, „abgezogen von allen einzelnen wirklichen Gegenständen, sich selbst empfindet, sich selbst zu einem idealischen Gegenstande macht, entsteht Religion. Alle einzelnen Neigungen vereinigen sich in eine, deren wunderbares Objekt ein höheres Wesen, eine Gottheit ist." Hier ist eigentlich kaum von dem pantheistischen *deus sive natura* die Rede, wohl aber von der Entstehung und Findung Gottes im Herzinnern. Gerade dagegen aber richtet sich Eichendorffs Protest, und daß er in seinem Text die Worte *sich selbst* des Novaliszitats gesperrt drucken läßt, kann uns Aufschluß darüber geben, was er für das zutiefst Häretische des „Pantheismus" hält.

Es ist die An-eignung Gottes, gegen die der Kampf geht, der Mangel an seiner weiten Offen-heit und Öffentlichkeit; erinnert sei an die oben zitierte Feststellung, es wäre der Pietismus gar keine Religion, sondern eine *häusliche Privatandacht.* Wo aber die Heilsbotschaft nur als eine private erlebt wird, mitgeteilt dem Einzelherzen und nicht der Gesellschaft, da ist, mag die Frömmigkeit und Hingabe auch noch so groß sein, falsche Frömmigkeit. Sehr schön wird dies deutlich in seinem Urteil über Lavater, dessen tiefe Religiosität, die ihn zu liebevoller Achtung verpflichtet, er nicht für einen Augenblick bezweifelt. Aber: *die Idee eines leiblich gegenwärtigen Gottes war die Aufgabe seines Lebens und, da er sie nicht in der Kirche suchte, seine Krankheit. Es lag darin, daß er die von ihm so inbrünstig ersehnte fortwährende Offenbarung nicht, wie die Kirche in der Eucharistie, als eine allen Christen gemeinsame erfaßte, sondern in allen Lebensmomenten als ein spezielles Wunder an seiner Person allein erfahren wollte.*

Wir haben der Berufung auf die Eucharistie, die hier an dieser Stelle steht, als dem befreienden Wort entgegengesehen; denn sie ist der Moment, da das Göttliche heraustritt ins Außen und Offene, da es sich mitteilt der Gesellschaft aller Gläubigen, die durch diese Mitteilung von ihrer Einsamkeit und Abgesondertheit erlöst werden.

Es ist nur ein kleiner Schritt von der Einschließung des Gottes im eigenen Herzen bis zu seinem völligen Rückzug aus der Welt. Es ist der Schritt, den die deutsche Klassik vollziehen wird. Eichendorff nennt sie zu Beginn des Kapitels, das er ihr widmet, die *Humanitätsreligion,* d.h. also die Rückbindung aller religiösen Erlebnisse, ihrer Offenbarungen, Erleuchtungen und Erlösungsbotschaften an den Menschen selbst. Er erkennt sie deutlich als das Ergebnis einer Säkularisation, aber dieses Wort, oder gar seine Übersetzung ins Deutsche, benutzt er nirgends. Denn Verweltlichung, jedenfalls das, was ihm dieser Begriff bedeuten würde, ist dieser Prozeß gerade nicht. Verweltlichung in seinem Sinne ist die Eucharistie, das In-die-Welt-Treten des göttlichen Geistes, die leibliche Gegenwart Gottes in Christus und seiner Kirche. Gerade dies aber kennt die *Humanitätsreligion* nicht, sie verwandelt alle religiösen Impulse und Werte in eine „Selbst"offenbarung des Menschen und Menschlichen, und wenn hier überhaupt noch von einem Christentum gesprochen werden kann, dann nur von einem *Christentum ohne Christus*, eine Formel, die er für die Glaubenshaltung des *tugendhaften Schiller* prägt. Wenn er ihn eine *reflektierte Natur* nennt, dann meint er natürlich den hohen Grad bewußter Selbst-Besinnung, er meint aber auch den Verlust an Welthaltigkeit und Weltoffenheit, der als Preis dafür gezahlt werden muß. Damit umschreibt er Schillers eigene Definition des „sentimentalischen" Dichters, nur daß dieser Typ von ihm nicht so sehr als eine poetologische Möglichkeit gesehen wird, sondern als existentieller Ausdruck des auf sich selbst zurückbezogenen Menschen.

Es ist bemerkenswert, daß Eichendorff von dieser Grundposition aus an Elemente Schillerschen Dichtens und Denkens rührt, die um die Mitte des 19. Jahrhunderts seinen Lesern kaum zum Bewußtsein gekommen sein mochten, ja die recht im Gegensatz zu der landläufigen Auffassung von Schiller als dem „zündenden" Propagator philosophischer, sogar politischer Ideen stehen, sein Werk also als Werkzeug sehen, durch das außerdichterische Absichten und Ziele sich erfüllen sollen. An einer Stelle nun — und noch dazu im Zusammenhang mit „Wilhelm Tell", dem scheinbar „zündendsten" und wirkungsfreudigsten dramatischen Unternehmen Schillers — findet sich bei Eichendorff die erstaunliche Eintragung, es sei, was Schiller biete, *überall eine sich selbst beschauende Poesie*. Er erkennt, oder besser: er ahnt dieses ganze Werk schon auf dem Wege zu einer Dichtung der Modernen und Modernsten, einem Weg, den Edgar Lohner jüngst in seinem Essay über „Schiller und die moderne Dichtung" überzeugend aufgewiesen hat, Dichtung, die nichts mehr zu vermitteln sucht als sich selbst, die keinen Welt-Gegenstand kennt außer dem einen: ihr eigenes und in sich beschlossenes Sein, *poésie pure*, hermetische Dichtung. Wer könnte bei dieser wahrhaft prophetischen Formulierung Eichendorffs, dem Wort von der sich selbst beschauenden Poesie, das Bild des Narziß aus seiner Erinnerung verdrängen? Es ist der Moment vorausgesehen, wo Dichtung nicht mehr die Kommunikation — oder sollten wir es religiös wenden und sagen: Kommunion? — der im weiten Raum Lebenden sein wird, ja nicht einmal mehr die Sprache, in der der Einzelhäftling von seiner Einzelhaft Zeugnis ablegt, sondern wo sie sich „rein" in sich selbst, in ihre Eigen- und Innenwelt zurückzieht. Eine solche Dichtung wird nicht mehr „rühren", weder durch das Bild der Seen noch das der Wälder noch durch irgendein Bild der vorfindlichen Natur. Sie ist *paradis artificiel* und *enfer artificiel* in einem, wahrhaft Lyrismus der Zelle.

Wir sind am Ende, weil wir wieder am Anfang sind, in den geschlossenen Räumen, in denen der Mensch sich verfangen hat. Eichendorff hat sie geahnt. Er konnte sie ahnen, weil dieses „Schloß" als Möglichkeit schon in seinem Herzen stand. Aber — vor hundertfünfzig Jahren — gab es noch den Willen zum Aus-Weg in die Weite, noch gab es den gläubigen und hoffenden Ruf:

Brich durch, mein freudig Herz!

URMYTHOS „IRGENDWO UM BERLIN":

Zu Gerhart Hauptmanns Doppeldrama der Mutter Wolffen

I

So unverwüstlich vital nach nun genau fünfundsiebzig Jahren Gerhart Hauptmanns Diebskomödie vom Biberpelz geblieben ist, so dürftig war die Lebenskraft ihrer Fortsetzung, der Tragikomödie „Der rote Hahn", mit der Hauptmann ein knappes Jahrzehnt später die Geschichte der unvergeßlichen Waschfrau Wolffen wieder aufnahm und zu Ende führte. Von wenigen Ausnahmen abgesehen[1], hat das Bühnenstück schon bei seinem Erscheinen keine Freunde gefunden, dem Theaterrepertoire war es nach kurzer Zeit entfremdet, und die Darstellungen des Hauptmannschen Gesamtwerkes weisen ihm einen untergeordneten Platz an[2], eben als einem mißglückten Anhängsel zu einer der Glanzleistungen im deutschen Lustspiel-Kanon, an der gemessen das spätere Stück in einem noch verschärft ungünstigen Licht erscheinen mußte. Nun soll im folgenden keineswegs der Versuch einer Ehrenrettung unternommen werden. Er liefe auf nichts anderes hinaus als auf die Verwirrung eines zu Recht bestehenden Urteilsspruches, gegen den, weil die Zeit und Theatergeschichte ihn gefällt haben, schwer Einspruch einzulegen sein wird. Aber ein neuer Blick auf das Doppelbühnenwerk kann, so steht zu hoffen, ein Thema freilegen, das im Zusammenhang mit der Diebs- und Tragikomödie nie vermutet worden ist, von dem aus aber unerklärliche Absonderlichkeiten und Verschrobenheiten in beiden Stücken verständlich werden, und dem ein gewisses Maß an Bedeutung zuzuschreiben schon darum erlaubt scheint, weil es, wenn auch freilich erst nach einem Vierteljahrhundert, in den Mittelpunkt eines Hauptmannschen Werkes rücken sollte.

Ein weiteres noch mag ein solcher Nachweis leisten: er könnte deutlich machen, warum Hauptmann sich veranlaßt sah, dem „Biberpelz" überhaupt eine Fortsetzung, und eine noch dazu dichterisch so wenig befriedigende, nachzuschicken. Denn die allgemein übliche Erklärung, er habe unter dem Druck finanzieller Schwierigkeiten den beispiellosen Erfolg seiner Diebskomödie ausbeuten wollen, indem er den bewährten Kunststücken der Waschfrau Wolff noch ein weiteres, ein letztes anhängte, kann uns kaum überzeugen. Nicht nur, daß dadurch ein recht zweifelhaftes Licht auf Hauptmanns künstlerische Integrität fiele — das ginge noch hin. Aber schwerlich konnte er verkennen, daß von der derben Heiterkeit, die dem „Biberpelz" seine unnachahmliche Wirkung sicherte, auch nicht ein Hauch in die Fortsetzung eingegangen war, nichts von der Freude, die man über die diebische aber in ihrer naiven Gerissenheit herzerquickende Hauptfigur empfindet, nichts von der Schadenfreude, mit der man die aufgeblasene Dummheit und Tücke eines strammmonarchischen preußischen Amtsvorstehers dem Gelächter preisgegeben sieht. Wenn wir auch am selben Ort bleiben — *irgendwo um Berlin*, wie der Bühnenzettel in beiden Fällen angibt — die Luft, die jetzt weht, ist eine gänzlich andere. Die unbekümmerte Ausgelassenheit des „Biberpelz" hat der Gedrücktheit, ja Gequältheit Platz gemacht, und die liebenswert gaunerische Mutter Wolffen hat durch ihre zweite Ehe mit dem Schuhmacher Fielitz nicht nur einen neuen Namen erworben. Wenn sie im ersten Akt vom „Roten Hahn" den Amtsvorsteher Wehrhahn, der sie noch mit dem altvertrauten, von ihm und von uns allen zärtlich gemeinten Namen anspricht, energisch korrigiert: *Ich bin keene Mutter Wolffen ni mehr!*, dann ist vom Dichter sicher mehr gemeint als nur die Tatsache, daß sie jetzt eben Frau Fielitz heißt. Nein, sie ist wirklich *keene Mutter Wolffen ni mehr*. Als solche war sie der Inbegriff einer gewiß moralisch zweifelhaften aber als Stück Natur überwältigenden Unverwüstlichkeit; jetzt bietet sie den Anblick der Verwüstung, der Hauptmann zwar in ihrer Sterbeszene wahrhaft erschütternde Momente abzugewinnen weiß, ohne uns freilich vergessen zu machen, zu welch abstoßender Gemeinheit sie fähig war; und gerade dies, abstoßend gemein, war die langfingrige Mutter Wolffen eben nicht. Über diese erschreckende Verwandlung wird zu reden sein; aber es fällt schon nach diesen kurzen Andeutungen schwer zu glauben, Hauptmann selbst hätte sich in der Illusion wiegen können, er habe im „Roten Hahn" die Ingredienzen wieder aufleben lassen, denen der „Biberpelz" bei Publikum und Kritik seinen Riesenerfolg verdankte. Sehr viel wahrscheinlicher ist die Vermutung, ein geheimes und verstecktes Thema des „Biberpelz" habe nach dem „Roten Hahn" verlangt, nicht im Sinne eines neuen Aufgusses, der eine weitere und letzte Episode aus dem Gaunerleben seiner Heldin ausschenkt, sondern im Sinne echter Fortführung und Zu-Ende-Führung, auf denen das angeschlagene Thema bestand.

Ein geheimes und verstecktes Thema — und damit sei deutlich gemacht, daß die Grundpfeiler, auf denen die landläufige Interpretation der beiden Stücke ruht, des ersten in noch höherem Maße als des zweiten, nämlich geniale Charakterstudie auf der einen Seite und schneidende gesellschaftlich politische Satire auf der anderen, nicht ganz eingerissen werden sollen. Aber eine motivische Unterströmung gilt es festzustellen, und weil sie unter der Oberfläche fließt, sind wir auf geheime und verdeckte Fingerzeige angewiesen, auf „Störungen", die auf den ersten Blick Unerklärlichkeiten und Verschrobenheiten scheinen, gerade jene fruchtbaren „Störungen", die hier, wie so oft in sprachlichen Kunstwerken, tiefliegende Absichten des Dichters verschleiernd enthüllen.

Angewiesen auch sind wir darauf, Einzelheiten und Züge zu unterstreichen, die selbst ein gewissenhafter Leser für nebensächlich erachten könnte. Er mag sie in meiner Darstellung mit Gewichten belastet finden, die sie überfordern, und sie in eine Argumentationskette eingegliedert sehen, die ihm zu rigoros und gerade wegen der ihnen zugesprochenen zwingenden Schlüssigkeit verdächtig erscheint. Aber da sich diese Deutung wie eine jede auf eine Akkumulation verschiedenartiger Faktoren stützen muß, ist es auch gar nicht erforderlich, daß der Leser jedem interpretierten Detail die Beweiskraft zubilligt, die es in den Augen des Interpreten besitzt. Dieser kann zufrieden sein, wenn das Gesamtbild überzeugt, wenn das Mosaik sich zusammenfügt, auch ohne daß ein jedes Steinchen seinen unbezweifelbaren Farbwert habe. Mit einem solchen Steinchen sei der Anfang gemacht.

Man schlägt die Liste der *dramatis personae* vom „Roten Hahn" auf und erlebt die erste Überraschung. Da erscheinen, genau in der Mitte der Personenliste, acht Mädchennamen, von Mieze bis Hannchen[3], sie alle Töchter des ausgedienten preußischen Gendarmen Rauchhaupt, der wohl tragischsten Figur der Tragikomödie, und Schwestern des elend armseligen Gustav, *imbecil, blödsinnig*, dessen pyromanische Neigungen es im Laufe des Dramas so leicht machen werden, ihm die Schuld an dem Brande des Fielitzschen Häuschens zuzuschieben, mit der heimtückischen, wenn auch nie offen ausgesprochenen Unterstützung der Mutter Wolffen-Fielitz, die natürlich das Feuer um der hohen Versicherungssumme willen raffiniert selbst gelegt hat. Acht Mädchen — wie uns die späteren Bühnenanweisungen belehren werden — im Alter von vier bis dreizehn Jahren — welch ein Aufgebot an Weiblichkeit! Welches ist ihre Funktion in dem Drama? Die Antwort ist einfach: sie haben überhaupt keine. Genau in der Mitte des vieraktigen Stückes, am Ende des zweiten Aktes, trotten die acht, teils allein, teils in kleinen Grüppchen, an die Pforte ihres kümmerlichen Hauses, stellen sich rechts und links von ihrem Vater auf, der vom Gartenzaun her das im Fielitzschen Nachbargrundstück gerade ausbrechende Feuer beobachtet. Sie sprechen kein Wort. Niemand spricht ein Wort zu ihnen, abgesehen von der ganz beiläufigen und kurzen Aufforderung des Vaters[4], sie sollten sich das Brandspektakel mal ansehen. Dann, während der Vorhang fällt, trotten sie mit dem Alten wieder in ihr Haus zurück. Sie werden im Verlauf des Stückes nicht wieder erscheinen; es wird nie wieder von ihnen gesprochen werden, so wie auch vorher nie von ihnen die Rede war.

War Hauptmann, als er die acht völlig überflüssigen Statistinnen auf die Bühne brachte, von allen guten Geistern verlassen[5]? Oder liegt in dem szenischen Wahnsinn Methode? Ist hier vielleicht einer der geheimen und verdeckten Fingerzeige, denen zu folgen wäre? Gegen allen dramatischen Sinn und Verstand stellt sich auf dem Höhepunkt der Handlung, wenn es nun wirklich „brennt", ein Tableau dar[6]: da flankieren acht dralle weibliche Wesen, wortlos und ohne Anzeichen irgendwelcher Teilnahme der Konflagration zuschauend, ihren Vater, einen friedlich gutmütigen, vom Leben geschundenen und ausrangierten Mann, den dieses Feuer, das er hier noch so ahnungslos betrachtet, an den Rand des Wahnsinns und Selbstmordes treiben wird, weil er den Gedanken nicht ertragen kann, daß er, ein ehemaliger preußischer Wachtmeister, einen Verbrecher und Brandstifter großgezogen haben soll. Und dieser an dem Brand unschuldig idiotische Sohn, das einzige Mann-Kind in einer neunköpfigen Zöglingsschar, ist eben wild gestikulierend und blödsinnig tutend über die Bühne gerannt, sein schwachsinniger Kopf völlig verstört von dem Feuer, das er eher als alle anderen entdeckt hat, das ihn des letzten kümmerlichen Restes Geborgenheit berauben und hinter die Gitter der Irrenanstalt bringen wird. All dies Männer-Unglück ist das Werk des unersättlichen Weibs-Teufels, der mit Recht darauf hingewiesen hat, daß er *keene Mutter Wolffen ni mehr* sei.

Was also dieses vom Dramaturgischen her ganz sinnlose, aber gerade darum geheim sinnvolle Finale des zweiten Aktes der Tragikomödie zur Schau stellt, ist dies: Aufmarsch des Weiblichen in einer vom Weiblichen in Brand gesteckten Welt, an deren Grenzbezirk das Männliche, deklassiert, ausgestoßen, zum wehrlosen Opfer bestimmt, ärmlich dahinvegetiert. Dies, so glauben wir, ist das mythische „Urdrama", das *irgendwo um Berlin* abrollt und dessen Stadien sich in der Diebskomödie und der Tragikomödie, verdeckt von einer beispiellos überzeugenden Zustandskonkretheit und einer scharf zugreifenden Zeitkritik, abzeichnen. Denn es ist ja nicht nur so, daß die Wolffen als unvergleichlich geglückte Bühnenfigur Handlung und Raum der „Biberpelz"-Welt beherrsche. Sie ist wahrhaft Inbegriff und Abbild der „Mutter", die zum Kampf angetreten ist — und zu welch köstlich triumphalen Kampf! — gegen alles, was den Bereich des Mannes konstituiert: staatliche Ordnung, geregelt garantierten Besitz, konsolidierte Machtstellung, die gerade sie in ihrer lachhaften Hohlheit entlarven wird. Kein Zweifel, daß um sie die Luft des Anarchischen weht; für sie sind die Dinge der Welt noch „frei", noch nicht besetzt von Vorschriften und Normen, auf denen Zivilisation beruht. Erstaunlicherweise ist nie vermerkt worden, daß die Güter, an denen sie sich vergreift, von tiefsinniger Bedeutung sind. Drei Diebstähle wird sie begehen — und was stiehlt sie? Einen Rehbock, den sie, eine Wilderin, in der Schlinge gefangen hat; eine Fuhre schönen Brennholzes, das *auf der Straße* lag, vor dem Hause des Rentier Krüger; und dort lag es, weil Krügers Magd, Mutter Wolffens Tochter Leontine, sich geweigert hatte, es noch zu nächtlicher Stunde einzubringen; und schließlich — krönende Glanzleistung in der Karriere der Gaunerin! — Rentier Krügers nagelneuen Biberpelz.

Wild im Forst, Gehölz des Waldes, Fell des Tieres, das im Wasser schwimmt — es sind durchaus nicht zufällige und beliebige Gegenstände, auf die die Wolffen ihre diebischen Hände legt. Es sind die freien Gaben, die „Mutter Natur" ihren Kindern geschenkt hat, als solche unveräußerlich, und wenn die Wolffen sie sich holt, dann ist dies nicht nur im ökonomischen Sinne eine Expropriation der Expropriateure, sondern unter dem Zeichen des Naturrechts eine Reklamation des Mütterlichen durch die Mutterwelt. Was hier durchschimmert, ist die Wiederherstellung eines präzivilisatorischen Zustandes, in dem es Besitz noch nicht gibt, Besitz in dem wörtlichen Sinne von einem Besetzen der Güter, mit denen die große Mutter ihre Menschenkinder nährt und ihnen ihre Lebenswärme erhält. Darum auch gehören die drei Dinge, die Mutter Wolffen durch ihre diebischen Manipulationen wieder unter die Leute bringt, zu der Kategorie jener mythisch und religiös erlebten Urtümlichkeiten, die obrigkeitlicher Satzung und dem Gesetz entzogen sind. Sie verbürgen des Menschen Anteil an der Mutter Natur, und sie dürfen ihm, weil sie aus dem Urgrunde kommen, nicht von oben ab- und zugeteilt werden. Wenn immer diese Güter von Institution und Organisation, von der Herrschaftswelt besetzt werden, dann empört sich der Urinstinkt. Nicht zufällig kann es sein, daß in dem großen Bühnenwerk Hauptmanns, das fast unmittelbar auf den „Biberpelz" folgen sollte, just diese drei wieder beansprucht werden als unveräußerbares, keiner Herrschaftskontrolle untertanes menschliches Eigentum. Im Prolog zum „Florian Geyer"[7] lesen sich die Herren und Machthaber zu ihrer höhnischen Belustigung die Forderungen der Bauern vor — es handelt sich natürlich um die Memminger Artikel; da wird verlangt: die freie Verfügbarkeit über das Wild im Forst, das Holz im Wald, den Fisch im Wasser.

Damit proklamiert der „Biberpelz" das Recht „von der Mutter her", das Matriarchat. Daß wir uns seine Heldin gar nicht anders denken können als unter der Bezeichnung *Mutter Wolffen,* ist nur ein Indiz und gewiß nicht das entscheidende. Aber daß die Frau hier die Hosen anhat — und der Mann bestenfalls das Harlekinskostüm —, wird jede Einzelheit erhärten. Beginnen wir mit Äußerlichkeiten, die nur einer, der in einem Kunstwerk an Äußerlichkeiten glaubt, für belanglos halten wird: dem Personenzettel. Das Stück spielt unter dreizehn Personen, und auf der Liste der *dramatis personae* steht die Wolffen an siebenter Stelle, sechs, die vorangehen, sechs, die folgen, also genau in der Mitte [8]. Nun kann dieses Arrangement gar keinen anderen Sinn haben als den, ihr den Platz zuzuweisen, um den alles kreist; die Anordnung der Liste untersteht sonst keinem erkennbaren Prinzip, weder dem der Gewichtigkeit der Charaktere innerhalb der Komödie, in welchem Falle die Wolffen natürlich an der Spitze stehen müßte, noch gar dem der Reihenfolge des Auftretens auf der Bühne. Wir sind aber noch nicht fertig mit dem Personenzettel. In der Mitte also steht die Wolffen, dann folgt: *Julius Wolff, ihr Mann.* Der Familienstand des Mannes wird von der Frau her bestimmt, und wieder würde der Einwand nichts fruchten, daß der Ehegatte wegen seiner Bedeutungslosigkeit in dem dramatischen Gefüge natürlicherweise hinter der Ehefrau rangiert. Denn — und dies ist ein gewichtiges Indiz, das uns einen weiteren Fingerzeig geben wird — im „Roten Hahn" ist die Reihenfolge umgekehrt, zuerst Fielitz, dann *Frau Fielitz, verwitwete Wolff, seine Frau,* obwohl natürlich auch hier an handlungstragender Potenz die Frau den Mann entscheidend überragt. Wir lesen weiter: nachdem *ihr Mann* eingeführt ist, erscheinen die Namen Leontines und Adelheids mit dem Zusatz *ihre Töchter.* Hätte Hauptmann präzis und eindeutig sein wollen, dann müßten wir natürlich auf der Angabe „deren Töchter" bestehen. Aber präzis und eindeutig wollte er eben nicht sein, und darum treibt er ein tiefsinniges Spiel mit der Doppeldeutigkeit des Personalpronomens, das wir, zumal wir noch die Wendung *ihr Mann* im Ohr haben, unwillkürlich und automatisch auf die Mutter beziehen, unter Übergehung des Vaterelements, ein Fall mythischer Ur-Zeugung mit Hilfe und dank der deutschen Grammatik.

I h r e Töchter also und — dies vor allem — ihre T ö c h t e r. Denn daß im Machtbereich des Matriarchats Mädchen geboren werden, künftige Mütter, die das weibliche Herrschaftsprinzip gewährleisten können, versteht sich von selbst. Ja, Hauptmann geht so weit, daß er im Umkreis der Mutter Wolffen nur Töchter-Geburten zulassen kann. Im vierten Akt erscheint im Büro des Amtsvorstehers der

Spreeschiffer und Hehler Wulkow, durch den Mutter Wolffen ihr Diebsgut an den Mann bringt, um die Geburt eines Kindes anzumelden. Zu dieser Anmeldung und Eintragung wird es natürlich nicht kommen, weil es bei der irren Konfusion dieses Amt-Mannes ohnehin nie „zu etwas" kommen kann; aber wenn wir das hintergründige Thema des „Biberpelz" richtig verstanden haben, dann brauchen wir gar nicht zu fragen, welchen Geschlechts das Kind sei, von dem Mutter Wulkow gerade entbunden wurde. Natürlich ist es *'n kleenet Mädchen*, gleich zweimal muß es uns der Spreeschiffer versichern, am Anfang und am Ende des Aktes, als wäre es auch nur von dem geringsten Belang für den Verlauf der Handlung, ob Wulkow einen Sohn oder eine Tochter bekommen habe.

Aber es gibt schlagendere Beweise. An einer Stelle des Stückes, an der einzigen übrigens, wo ein kurzer Flügelschlag des Tragischen die bis zum Burlesken derbe Komik des „Biberpelz" streift, zerreißt der Vorhang, der das mythische Thema verbirgt, und läßt es eine flüchtige Minute lang aufleuchten. Es handelt sich um eine Szene im dritten Akt, auch sie eine von denen, die um ihrer Funktionslosigkeit und Abschweifigkeit willen Kopfschütteln erregen. Dr. Fleischer, *Temokrat* und wegen seiner freiheitlich anti-monarchischen Gesinnung der stechendste Dorn in Amtsvorstehers von Wehrhahns Auge, kommt die Wolffen besuchen, begleitet von seinem fünfjährigen Sohn Philipp. Mutter Wolffen weiß sich vor närrischer Verliebtheit in den Buben gar nicht zu lassen, und plötzlich stehen Tränen in ihren Augen. *Ich weeß nich, wenn ich so'n Jungen seh, da is mer'sch, als wenn ich glei heulen mißte.* FLEISCHER: *Haben Sie nicht mal so'n Jungen gehabt?* FRAU WOLFF: *Na freilich. Aber was nutzt denn das alles? Ma macht'n ja doch nich wieder lebendig. — Ja sehen Se — das sind so — Lebenssachen — (Pause).* FLEISCHER: *Man muß zu vorsichtig sein mit den Kindern.* FRAU WOLFF: *Da mag ma halt noch so vorsichtig sein. — Was kommen soll, kommt. (Pause).* Daß das Mann-Kind starb, sterben mußte, *das sind so Lebenssachen*, für die es keine Erklärung geben kann, weil das Leben es so will, das Leben in einer Luft, in der die Mütter herrschen und die Töchter drall und kraftstrotzend heranwachsen. Woran Mutter Wolffens Sohn eigentlich gestorben ist, erfahren wir nicht. Wir werden es auch nicht erfahren, wenn am Ende vom „Roten Hahn" in dem letzten großen Gespräch vor ihrem Tode Frau Fielitz ebenso plötzlich von der Erinnerung an ihren so früh verstorbenen Sohn übermannt wird. Ebenso plötzlich, aber nicht unvermittelt. Da spricht Rauchhaupt von seinem Gustav, der, wenn auch schwachsinnig und eine ständige Sorge, ihm ein liebes Kind gewesen ist, das er jetzt verloren hat, verloren, wir wissen es, weil es in den Machtbereich der Mutter Wolffen-Fielitz geraten ist. Und in diesem Augenblick taucht der Gedanke an den eigenen Sohn wieder auf: *Ich ha' gar an Jungen verloren, Rauchhaupt! Jawoll!* Wieder kein Wort darüber, wie dieser Junge *verlorenging*. Aber dieses Wortes bedarf es wohl auch nicht: das Mann-Kind ging verloren, weil es in der Mutter-Welt keinen Platz für ihn gab.

Und Hauptmann wird noch deutlicher — wie konnte man es nur überhören? Was hier in dieser „überflüssigen" Reminiszenz im „Biberpelz" tragisch beleuchtet erscheint, ist kurz vorher drastisch komisch ausgespielt worden. Mutter Wolffen überfällt den kleinen Philipp mit ihren Liebkosungen, was sich in der Regieanweisung in der erstaunlichen Wendung niederschlägt: *Den Jungen würgend und abküssend.* Wo sind wir? In einer armseligen Proletarierstube irgendwo um Berlin oder im Herrschaftsbereich der Amazonenfürstin Penthesilea? Und falls noch irgendwelche Zweifel bleiben sollten: nachdem gewürgt und geküßt wurde, spricht die „Männerverzehrende": *Huch, Junge, ich freß dich, ich freß dich reen uf. Herr Fleischer, den Jungen behalt ich mer. Das is mei Junge.* Wenn Gerhart Hauptmann auf der Oberfläche auch streng im Rahmen seiner preußischen Arme-Leute-Komödie aus dem letzten Viertel des 19. Jahrhunderts bleibt, Usurpation, Würgen, Küssen, Auffressen des Mann-Kindes deutet geheim auf ganz andere Zeiten und Bereiche, auf eine mythische Gesellschaftsordnung, in der die Mutter und nicht der Vater die Herrschaft ausübte, männerverzehrend aus Bestimmung, wie es denn wohl nicht leichtzunehmen ist, daß in dem Wut- und Revolte-Koller, mit dem im „Roten Hahn" Fielitz aus seiner Versklavung auszubrechen sucht, die folgenden Worte fallen: *Bin ick denn janz und jar verrückt? Behäng mir mit so'n Satan von Weibsbild . . . Den ersten hat se in't Jrab jebracht, un nu bin ick der Schafskopp und liefre mir aus.* Es scheint, als hätte in der Klein-Philipp-Szene das unterschwellige Thema den Gang des Dialogs bestimmt. Denn nach ihrem amazonenhaften Liebesausbruch fährt Mutter Wolffen ganz unvermittelt mit der Frage fort: *Was macht denn die Mutter, hä?*

Das Kind könnte sich die Antwort ersparen, denn kein Zweifel besteht darüber, wie sie lauten muß. Natürlich: *Sie is desund.* Das Weibliche ist im „Biberpelz" a priori *desund*, so wie ebenfalls a priori das Männliche krank, angeschlagen, unterhöhlt und gefährdet ist. Welches in Mutter Wolffens Augen das schwache Geschlecht ist und welches das starke, versteht sich von selbst. Wenn sie — immer noch in derselben Szene — ihre jüngere Tochter Adelheid Doktor Fleischer als ein tüchtiges Dienstmädchen empfehlen will, gehen ihr auf ebenso erstaunliche wie bedeutsame Weise die Geschlechter-

bezeichnungen durcheinander. *Das is Ihn a strammer Pursche ge-worden,* sagt sie von dem dreizehnjährigen Mädchen. Stramme Purschen – das sind in dieser verqueren Sicht die Mädchen, und die Männer das, was sich grad mit Mühe auf den Beinen halten kann. Als Fielitz den kläglichen Versuch macht, sich gegen den *Satan von Weibsbild* zu „ermannen", bekommt er zu hören: *Du kannst ja losleg'n! Du werscht m'r, a solches Männdl, du, du! Immer komm! immer komm! immer faß d'r a Herze! Ich wer' m'r a Husten zuricke hult'n, sonste hust ich dich noch bis nei nach Berlin.* Und kurz vor-her hat sie die Tochter Leontine, die, von der Mutter zur Arbeit angehalten, fürchtete, sie *wer' noch de Schwindsucht kriejen,* voller Verachtung zur Ordnung gerufen: *Hab dich ock pimplich, wie a Mann!*
Aber es ist natürlich nicht nur die verquere Sicht der Mutter Wolf-fen. Was im „Biberpelz" ein Mann ist, ist *pimplich* oder schlimmer. Es wäre verwunderlich, wenn es um die *Lebenssache* von Klein-Philipp viel besser stünde als um die von Mutter Wolffens früh verstorbenem Jungen. Der Vater, so heißt es in der Regieanweisung, *verwendet in jeder Sekunde rührende Sorgfalt auf sein Kind,* er will nicht, daß Philipp seinen Mantel ablege *(. . . es zieht. Ich glaube, es zieht),* und besteht darauf, daß der Junge in ständiger Bewegung bleibe: *Im Augenblick hat der Junge was weg. Bewege dich, Philipp-chen. Immer beweg dich . . . sonst wirst du krank. Du brauchst ja bloß langsam hin- und hergehen.* Ob das seiner *Lebenssache* wohl viel helfen wird, da es in der Welt der Mutter Wolffen dem Manne doch so kräftig *zieht,* daß er, ohne Schaden zu nehmen, einfach nicht davonkommen kann? Eine Galerie von Angeschlagenen! Philipps Vater *(seine Augen liegen tief)* hat's mit der Zuckerkrankheit; Herr Motes hat nur ein Auge, weil ihm das andere bei einem Jagdunfall abhanden gekommen ist; Rentier Krüger hat zwar seine beiden Ohren, aber dafür ist er so taub, daß man sich nur schreiend mit ihm verständigen kann; der vertrottelte Amtsdiener Mitteldorf ist als schwerer Alkoholiker bloß noch ein paar Schritte von *dementia tremens* entfernt; und Julius, der Mutter Wolffen *ihr Mann,* von ihr kujoniert und herumgeschoben wie ein lästiges Stück Möbel, mit *blöden Augen und trägen Bewegungen,* wird, obwohl erst 43, das nächste Jahrzehnt nicht überleben. Bleibt von allen im „Biberpelz" agierenden Manns-Leuten [9] Mutter Wolffens Gegenspieler, Amts-vorsteher von Wehrhahn. Er ist, so scheint es, *desund.* Aber seine Gesundheit ist im Reich des Matriarchats die eigentliche Krankheit: das Mann-Sein.
Wenn man in Wehrhahn nichts anderes sieht als die großartig treffende Karikatur der sich arrogant aufblähenden preußischen

Verwaltungswillkür, die schnüffelnd und schikanierend hinter jeder freiheitlichen Meinungsäußerung her ist, dann hat er aufgehört, Mutter Wolffens Gegenspieler zu sein. So gesehen, zerreißt die Komödie in zwei im Grunde disparate Themenstränge: die diebische Gerissenheit und Schelmenstreiche der Waschfrau und die Satire auf eine dumm-bösartige Politik, die sich nur zufällig mit Zuständen konfrontiert sieht, vor denen sie lachhaft und kläglich versagt. Aber gerade an diese Zufälligkeit können wir unter keinen Umständen glauben. Wehrhahn gehört — als das Manns-Bild und das Gegen-Bild — konstitutiv zur Mutter Wolffen; seine Schliche laufen parallel zu den ihren, nur daß sie ebenso erfolglos sind wie die der Wolffen erfolgreich; seine tückische Imbezillität ist das spiegelbildliche Konterfei ihrer treuherzigen Geriebenheit — und der ganze Kerl nicht nur ein besonders unerfreuliches Exemplar des preußischen Militär- und Polizeisystems, sondern Obrigkeit schlechthin, der „Vater Staat", den die Mutter-Welt in seiner ganzen Lächerlichkeit und Hilflosigkeit bloßstellt. Wenn Wehrhahn sich mit der pompösen Proklamation: *Hier bin ich auch König!* in die Brust wirft, so ist das bei aller Aufgeblasenheit eben doch Feststellung des wahren Tatbestandes; seine Aufgabe besteht in *Mustern und Säubern:* Ordnung als Institution. Aber gerade darum fehlt ihm jede Beziehung zu den „Lebenssachen"; kein Zufall, daß er fremd im Dorf ist, erst seit vier Monaten auf seinem Posten; kein Zufall, daß er auf eine Schar von Zwischenträgern und Mittelsmännern angewiesen ist, die ihm ansagen sollen, was sich in seiner Welt eigentlich zuträgt, den einäugigen Denunzianten Motes, Buchbinder Hugk vielleicht, der ihm berichten könnte, was für Literatur Dr. Fleischer liest, den Briefträger, der darüber Bescheid weiß, wer auf welche Zeitungen abonniert ist; ja sogar Mutter Wolffen will er einspannen, *sie kann ja mal'n bißchen rumhören,* mit welcher Anregung er freilich auf eisigen Widerstand stößt: *Uff so was versteh ich mich eemal zu schlecht.* Auf das Indirekte, Übertragene, Abstrahierte versteht sich das Mütterliche nicht. All dies gehört zum Reich des Mannes.

Wehrhahn, der Mann, ist der Planer und Ordnungsstifter, er wird aufräumen in der Lotterwelt, über die er als Vorsteher eingesetzt ist. Auf gewundenen Pfaden pirscht man sich an den Staatsfeind, Dr. Fleischer, heran, umständlich und genau sind die Schlingen gelegt, denn *ich hatte den Mann ja schon längst im Auge.* Es wird sich natürlich mit dem wohlgeplanten Hinterhalt gar nichts fangen lassen, weil im letzten Moment ein weibliches Wesen das ganze fein konstruierte Kartenhaus zum Einsturz bringt. Ist es wirklich nur von ungefähr, daß dieses weibliche Wesen *Mutter* Dreier heißt? Ihre eidesstattliche Erklärung, daß Motes sie zu einem Meineid gegen den „Staatsfeind" bewegen wollte, fegt alle Planung, alle waltende und verwaltende Männer- und Obrigkeitsberechnung mit einem Federstrich vom Tisch. Es ist vom Dramaturgischen und von unserem Thema her gesehen einfach meisterhaft, wie Hauptmann seine Mutter Wolffen — als genaues Gegenbild zu allen männlich-staatlichen Ordnungsklügeleien — ihre Großtaten, ihre Diebesunternehmungen einfädeln läßt — oder eben gerade: nicht einfädeln läßt. Sie stößt wirklich mit der Nase auf den Gegenstand, den sie ergreifen wird, ganz zufällig bietet er sich dar, ohne daß sie ihr Opfer *schon längst im Auge* hatte. Da erzählt Leontine in einem Nebensatz, *det ick aben's muß Holz rinräumen zwee Meter*, und daß, weil sie sich geweigert hat, das Holz jetzt auf der Straße vor Krügers Hause liege. Überhaupt keine Reaktion von seiten der Mutter Wolffen! Anderes wird verhandelt, der Rehbock wird hereingeschleppt, seine Verhökerung besprochen, Adelheid erscheint und muß sich eine kräftige Lektion lesen lassen, und plötzlich, ganz unvermittelt, man hat die Holzgeschichte längst vergessen, wie ein Blitz aus heiterm Himmel: *Nu sag amal, Holz haste soll'n reinräumen?* Eine Stunde später liegt das Holz nicht mehr vor Krügers Tür, sondern in Mutter Wolffens Schuppen. Nicht anders mit dem Biberpelz. Da läßt, während Wulkow und die Wolffen um den Preis für den Rehbock feilschen, Adelheid ganz von ungefähr und zufällig die Bemerkung fallen, Frau Krüger hätte ihrem Mann zu Weihnachten einen Biberpelz geschenkt. Schiffer Wulkow horcht interessiert auf: ja, für einen Biberpelz würde er eine schöne Stange Geld hinlegen. Die Wolffen zeigt sich ganz unbeteiligt; erst eine gute Weile später erwähnt sie ihrem Mann gegenüber ganz *en passant* die Biberpelz-Möglichkeit. Als er davon nichts hören will, läßt sie die Sache sofort fallen, um nie wieder davon zu reden[10]. Eine Woche später ist Rentier Krügers Kleiderschrank geplündert und der Spreeschiffer Wulkow spaziert stolz in einem Biberpelz auf seinem Kahn herum. Mutter Wolffens Taten sind aus dem lebendigen Moment geboren, sind wirklich „Lebenssachen", während Wehrhahns hinterhältige Planungen zu nichts als Fehlgeburten führen können.

So abgezogen — abstrahiert — von dem konkret Gegebenen lebt der Mann Wehrhahn in einem ständigen Wolkenkuckucksheim. Das erschütternd Komische seiner Amtsführung beruht darauf, daß er nie weiß, was — im wörtlichen Sinne — vorliegt. Oder daß er es nicht wissen will, weil er, anstatt sich mit dem vorliegenden Fall, den Diebereien in seinem Dorf zu befassen, seinen Blick starr — durch das Monokel — auf jene Tiefen gerichtet hält, in denen die vermeintlichen Verschwörer wühlen, oder jene Höhen, auf denen die *hohen* und *höchsten Personen* wandeln. Bevor der Vorhang am Ende des zweiten Aktes fällt, gibt er, sich mächtig in Positur werfend, seine Positionsbestimmung: *Was ist es denn schließlich, für was man kämpft? Die höchsten Güter der Nation!* Nur daß dabei eben die verschwundenen handgreiflichen Güter der dörflichen Lebensgemeinschaft, Rehbock, Brennholz und Biberpelz, unauffindlich bleiben! Es ist die volle Wahrheit, wenn er vor dem genialen Finale des Stückes der Mutter Wolffen herablassend erklärt: *Sie sehen die Dinge von außen an. Unsereins blickt nun schon etwas tiefer.* Aber wer nicht das Außen sieht, hat keinen Zugang zu den konkreten Dingen der Welt, und wer so unentwegt in die Tiefe blickt wie *unsereins*, wie wir Amt-Männer, darf sich nicht wundern, wenn er hereinfällt.

Bei all den zahlreichen Gebresten, von denen die Mannsleute im „Biberpelz" befallen sind — die eigentliche Männer-Krankheit ist die Wehrhahnsche: Blindheit. Wenn man nur bereit wäre, einen Dichter bei seinem Wort und seiner Metapher zu nehmen, dann würde sich hier wie immer der Sinn eines Dichtwerks von selbst erschließen. Mutter Wolffens Bemerkung über den Amtsvorsteher: *Ich seh durch mein Hihnerooge mehr wie der durch sein Glasooge, kenn Se mer glooben* ist nicht einfach eine komische Sentenz. Sie ist sinnenthüllend. Die Füße, mit denen die Mutter auf der Mutter Erde steht, sind ein verläßlicheres Welterfassungsorgan als der Hoch- und Tiefblick staatlicher Autorität, schon deshalb weil es *Hihner*-augen sind, während der *König* eben nur über (Wehr)-Hahnaugen verfügt. Diese Kurzsichtigkeit und Ahnungslosigkeit sind aber keineswegs bloß die Merkmale des preußisch arroganten Ordnungswalters — und darum ist eine Lesart, die den ausschließlichen Nachdruck auf die politische Satire legt, unzureichend; andere sind ebenso anfällig dafür, ja gerade und vor allem Wehrhahns lautstärkster und ausgesprochenster politischer Widersacher, Rentier Krüger, der es an Verachtung für die Schikanen der Polizeiwillkür — und noch dazu in Wehrhahns Gesicht hinein — gewiß nicht fehlen läßt *(in meinen Augen sind Sie kar nichts. Sie sind'n ganz simpler Amtsvorsteher. Sie müssen erst lernen, einer zu werden).* Aber wenn es um Schwachsichtigkeit geht, dann hat der aufgeblasene Staatsgewaltige dem unerschrockenen Vorkämpfer für Meinungs- und Geistesfreiheit nichts voraus, ihm ebensowenig wie der anderen Zielscheibe seiner stramm obrigkeitlichen Fuchtelgesinnung, dem gutmütig alkoholvernebelten Amtsdiener Mitteldorf. Die Frontlinie verläuft eben nicht nach politischer Färbung, hie verbissene Polizeigewalt, dort wackrer Freiheitsgeist, sondern sie trennt die zwei mythischen Feldlager, hie das lebensmächtige

Mutter-Weib, dort die ahnungslos blinden Mannsbilder, die allesamt, ohne Rücksicht auf Stellung und Einstellung, der Wolffen zum Opfer fallen.

Darum auch gehören ihnen und der Bloßstellung ihrer Schwachsichtigkeit jeweils die Aktschlüsse, dem Amtsvorsteher das Ende des zweiten und vierten, Mitteldorf das Ende des ersten, Krügern das Ende des dritten. Da stehen sie, schreiend komisch in ihrer Vertrotteltheit: Wehrhahn hochblickend zu den höchsten Gütern der Nation, tiefblickend in die Abgründe staatsfeindlicher Wühlereien; der Amtsdiener und Polizist Mitteldorf, mit einer Stallaterne der Wolffen beim Anschirren des Schlittens leuchtend, auf dem sie Krügers Holz „in Sicherheit" bringen wird; Rentier Krüger vor dem Kochherd der Waschfrau einen von den gestohlenen Knüppeln aufgreifend und wütend mit ihm vor der eigenen Nase herumfuchtelnd, ohne die geringste Ahnung dessen, was hier vor-liegt, und völlig blind gegen die Tatsache, was für ein Stück Holz es ist, das er in der Hand hält. Jedesmal bevor der Vorhang sich senkt eine Epiphanie männlicher Schwachsichtigkeit, die an Schwachsinnigkeit grenzt.

Es sind „schreiend komische" Aktschlüsse, von einem derben Moritatencharakter, der einer Schaubude angemessener scheint als dem gesitteten Theater. Der Komödie aber, mit der wir es zu tun haben, sind sie in hohem Maße angemessen. Solche drastischen Effekte gehören konstitutiv zu der Urtümlichkeit des Themas, dem unsere Bemühung gilt, sie illuminieren die elementare, „unzivilisierte" Tiefenschicht, aus der es stammt. Es sollte nicht übersehen werden, daß der „Biberpelz" als Gattung einen frühzeitlichen, primitiven Komödientyp durchscheinen läßt, die Tierkomödie, die ja auch Urmenschliches, den Mythos vom Menschen, in der Maske urtümlicherer Lebewesen auf derbe Weise zur Anschauung bringt und, mit unseren geschwänzten und gefiederten Mitgeschöpfen als Helden, die Vergesellschaftung des *homo sapiens* karikiert oder verhöhnt. Der Weg vom „Biberpelz" zu Aristophanes und frühneuzeitlichem Bestiarium ist nicht weiter als der zu Kleists „Zerbrochenem Krug", mit dem man Hauptmanns Diebskomödie gern in eine Linie stellt. Ja, in ihrer Grundsubstanz und holzschnitthaften Kreatürlichkeit hat die Geschichte von der Waschfrau und dem Amtsvorsteher mehr gemein mit den „Vögeln" und „Fröschen", der Renaissance-Zoologie des Ben Jonsonschen „Volpone" als mit dem grüblerisch diffizilen Lustspiel vom Falle Adams. Es ist gewiß nicht der geringste Triumph der Hauptmannschen Komödie, wie dicht und fugenlos sie in ihren Protagonisten *persona* und *figura* zusammenfließen läßt, das unverwechselbare, lokal und zeitlich voll verankerte Einzelwesen und das a-historische, mythisch übergreifende Modell.

Diese Figurinen aber sind, in die Schicht des Vormenschlichen hinabsteigend, dem Tierreich entnommen. Daß beide Titel des Doppelbühnenwerkes auf dieses Reich deuten, sollte schon als Hinweis dienen. Aber verräterischer noch sind Namen und Wesensart der Helden. Wehrhahn heißt nicht nur so, sondern er i s t der militante Gockel, das stolzierende Mann-Tier, das sich in aufgeblasenem Selbstbewußtsein — *hier bin ich auch König!* — als Autorität über den Hühnerhof eingesetzt fühlt. Aber er ist bei allem wehrhaften Gekräh machtlos gegen das reißende und raubende Muttertier, die Wölfin, die im Dunkeln umgeht und in die Herde einbricht, während der domestizierte Hof-Vorsteher, ordnungswaltend und -verwaltend, mit gespreizten Flügeln die Luft schlägt. Allein von der Korrespondenz dieser Tierkonfiguration läßt sich schon ablesen, wie unzulänglich ein Verständnis der Komödie ist, das die herzerquickenden Diebesstreiche der Wolffen und die finstere Politik Wehrhahns als zwei im Grunde nur parallel laufende Themenstränge nebeneinander schaltet. Unter ihren Masken gehören Mutter-Tier und Mann-Tier untrennbar zusammen; zwischen ihnen zünftig bürgerlich festgelegt, die „zivile" Menschenebene der Krüger und Fleischer. Und daß Mutter Wolffens älteste Tochter Leontine heißt, ist wohl auch nicht bloßer Zufall. Was wäre das auch für ein absonderlicher Name für ein Arme-Leute-Kind *irgendwo um Berlin!*

II

Das geheime und versteckte Thema ist ans Licht gehoben. Es gilt das Versprechen einzulösen, daß von diesem Thema her die tragikomische Fortsetzung als wahre Fortsetzung verstanden werden kann und nicht nur als ein Anhängsel, das eine weitere Gauner-Episode der Heldin bietet und ihren Lebenslauf — ganz unvermittelt übrigens — ans Ende bringt. Der Nachweis wird kurz sein dürfen. Was „Der rote Hahn" erzählt, ist Niedergang und Fall des Mutterreiches, implizite und notwendigerweise verbunden mit dem Aufstieg des Mannes. Feuer, das zerstörerische Element, bricht aus im Mutter-Haus, nicht von fremder Hand gelegt, sondern Selbstentfesselung des kreatürlich Mütterlichen, das seinen eigenen Untergang ins Werk setzt. Denn das eigentliche Opfer des „Roten Hahns" ist nicht der armselige Rauchhaupt — er wird im letzten Augenblick, schon an dem Strick, mit dem er sich erhängen wollte, baumelnd, abgeschnitten —, nicht der schwachsinnige Gustav, der, wie kümmerlich auch immer, in der Irrenanstalt weiterlebt; das eigentliche Opfer ist die Mutter Wolffen selbst. Sie kann, nachdem das aus ihr herausbrechende Feuer ihre Wohnstatt zerstört hat, nicht mehr weiter. Woran eigentlich stirbt sie? Gewiß, sie hat sich ein *bißchen Erkältung* zugezogen. Und daran sollte eine Mutter Wolffen sterben [11]? Sie weiß es besser. Wenn Dr. Boxer sie kurz vor ihrem Tode besuchen kommt, stellt sie die wahre Diagnose: *Ock ebens, hier (zeigt auf die Brust) is was geknaxt.*

Es läßt sich genau angeben, wann dieser Knacks erfolgte: in dem Moment, da das Feuer das Mutter-Haus zerstörte, während der Fahrt der beiden Fielitzes nach Berlin, jener Alibi-Reise, die sie, während die Flammen in ihrem *Tempel* [12] wüteten, klugerweise aus dem Dorf entfernt hatte; d. h. im Rahmen der dramatischen Handlung genau in der Mitte des Stückes, am Ende des zweiten Aktes, wenn die acht Rauchhaupt-Mädchen auf die Bühne trotten und ihr Tableau bilden — wie wir jetzt erkennen, nicht mehr ein Triumphmarsch, sondern ein letztes Aufgebot der Weiblichkeit. Von diesem Augenblick an ist die Unverwüstliche verwüstet, kläglich gebrochen in den Untersuchungsverhandlungen vor dem Amtsvorsteher im dritten Akt, *merklich abgemagert und gealtert* (warum wohl setzt Hauptmann hinter diese Angabe der Bühnenanweisung ein Ausrufezeichen?) zu Beginn des vierten, an dessen Ende der Tod sie erwartet. Verwüstet auch im Seelischen; denn wie unbekümmert immer die Mutter Wolffen des „Biberpelz" ihre langen Finger ausstreckte, sie war und blieb in ihrer Art *eine ehrliche Haut,* besorgt darum, daß der Verdacht ihrer eigenen Taten nicht auf andere falle, nicht auf *de Millern,* die zur Zeit des Biberpelz-Diebstahls in Krügers Haus als Waschfrau arbeitete, nicht auf die Gemüsefrauen, die, wie Wehrhahn scharfsinnig vermutet, das kostbare Stück in ihren *schweren Hucken* nach Berlin befördert haben könnten. Jetzt aber hat sie es so gefingert, daß der Verdacht der Brandstiftung auf den geistesgestörten Gustav fallen muß, in ihren Aussagen vor Wehrhahn mit dunklen Andeutungen nicht sparend, aber dann auch wieder nichts preisgebend — in wahrhaft abstoßender Weise verlogen.

Ein Mensch, der seine Lebenssicherheit und -mächtigkeit verloren hat! Sie zittert, daß man ihr doch auf die Schliche kommen könne, und Leontine muß ihr gut zusprechen: *Nee, Mutter, ick weeß nich, wat ängst d'r denn immer!* Ein ständiges Schreckgespenst steht Rauchhaupt am Horizont ihrer Tage *(ob Rauchhaupt heut o wieder kommt?)* mitleidslos forschend und bohrend, damit sie sich schließlich doch verrate und er durch das Eingeständnis ihrer Schuld seine Ehre und die des Sohnes wiederherstellen könne. Wahrhaft erschütternd ihr letztes großes Gespräch mit ihrem Peiniger, der sie in die Falle treiben will, *derhingerher wie ein bissiger Hund.* Gequält fleht sie um Frieden: *Wer is von uns beeden denn schlimmer dran? Sie oder ich? ... Sie sein gesund, und wie sehn Sie heut aus!*

*Und ich? Was bin ich? Und wie tu ich heut aussehn . . . Immer sehn
Se mich amal richtig an! Wer weeß, verging Ihn' de Lust verleichte.*
Und schließlich fällt das Schlüsselwort: *Ich wer bald genung Platz
machen. Bei mir lohnt sich das Hetzen erscht weiter nich.* Das Hetzzen [13]! — wenn das noch die Mutter Wolffen ist — aber sie ist es
eben nicht mehr — dann ist es eine Wölfin, hinter der die bissigen
Hunde her sind.

Man ist hinter ihr her, nicht nur der Verfolger, sondern auch der
Gefolgsmann und Bundesgenosse. Sein Name Schmarowski, ihr
Schwiegersohn und von Beruf Bauunternehmer, Mann der Zukunft,
der die *neue Kiste im Jang* hat, *sociale Sache* [14], *Riesenjeschäft!* Daß
sein Name so verräterisch nach „Schmarotzer" klingt, ist wohl mehr
als reiner Zufall. Er saugt am Mark der Mutter, zieht ihr das schwer,
wenn auch auf höchst fragwürdige Weise erworbene Geld aus der
Tasche und wird mit der Versicherungssumme, um derentwillen die
Fielitzen ihr Haus angezündet hat, seine Riesengeschäfte betreiben.
Nicht daß er sie erpressen müßte, denn sie ist nur zu gern bereit, sich
an seinen Bauunternehmungen und Spekulationen zu beteiligen;
aber kein Zweifel kann darüber bestehen, daß er sie preßt, daß er
hinter ihr her ist. Fielitz übersieht die Lage sehr genau, wenn er ihr,
um Frieden vor dem *Satan von Weibsbild* zu haben, höhnisch vorschlägt, sie solle doch ganz zu dem sauberen Schwiegersohn übersiedeln, *denn haben se dir mang die Finger fest, denn kannste janz
los werden deine paar Jräten.*

Die Mutter hat die Herrschaft verloren, die Männer haben sie in
der Hand. Und dieser Zustand der Entmächtigung, der sich im Laufe
der tragikomischen Geschehnisse immer eindeutiger durchsetzen
wird, mit besonderer Rapidität von dem Moment an, da das Mutter
Haus abbrennt, erstreckt sich auf alles Weibliche, das einen Platz
im „Roten Hahn" einnimmt. Das Bild des „Biberpelz" hat sich in
sein genaues Gegenteil verkehrt. Jetzt ist die Mutter nicht mehr
desund. Leontine, ein ältliches Mädchen *hoch in den zwanziger
Jahren* schuftet über ihrer Nähmaschine; einer war hinter ihr her
und hat sie mit einem unehelichen Kind sitzen lassen — wir haben
das „Thema" gut genug begriffen, um es selbstverständlich zu finden, daß dieses Kind ein Junge ist —, und jetzt ist sie Freiwild
geworden, hinter dem die Männer her sind, der Schmiedemeister
Langheinrich und der Gendarm Schulze, die sich umschichtig
hinter'm Woltersdorfer Pusch mit ihr Stelldichein geben, und selbst
der schwachsinnige Gustav *pläkt mir die Zunge raus.* Sie kann von
Glück sagen, daß der inzwischen verwitwete Schmiedemeister sie am
Ende doch noch heiraten wird, und wenn sie, schließlich mit Mühe
rehabilitiert, aufmuckt und der Mutter gegenüber prahlt, sie werde

sich nicht gefallen lassen, was die verstorbene Schmiedemeisterin
sich von ihrem Mann hat gefallen lassen müssen, wird ihr Resignation und Unterordnung anempfohlen: *Der Meester? Luß'n ruhig
gehn. In der Sache taugen se alle nischt.* Wird sie es in ihrer Ehe
wohl besser haben als ihre Vorgängerin, die wir auf der Bühne
zwar nicht zu sehen bekommen, deren Schmerzensgestöhn aber vom
Krankenbette her die Luft erfüllt, und über die Mutter Wolffen zu
ihrer Tochter den aufschlußreichen Epitaph spricht: *Das is o ein
armes Weib gewest: geschnallt und geschniert und zusammen-
gerissen und hat doch a Puckel ni weggekriegt ... O, luß se! Luß se!
Rad weiter nich. A hat se wohl e ernt in wenig geschundem, trotz
daß'n a so viel hat eingebracht. Die hat immer mußt weiter näh'n
und verdien'.* Und dann als letztes Weibs-Bild im „Roten Hahn" die
Schulzen, die verklatschte und wimmernde *olle Hexe,* von der das
ganze Dorf weiß, daß sie eine Engelmacherin ist, die als Anti-
Mütterliche die Geburt neuen Lebens rückgängig macht.
Nicht nur die Mutter Wolffen, die ganze Mutter-Welt hat einen
Knacks bekommen. Und wieder als genaues Gegenbild zum „Biberpelz" tritt jetzt das Männliche in die Aszendenz. Gewiß, Rauchhaupt
Vater und Sohn sind kümmerliche und angeschlagene Wesen, aber
sie sind eben die Opfer von Mutter Wolffens letzter, wenn auch
selbstzerstörerischer Machtprobe, Opfer freilich — wir sahen es —,
die auf lange Sicht die „Männerverzehrende" zur Strecke bringen
werden. Auch Schmarowski scheint von dürftiger Körperlichkeit und
Konstitution; aber am Schluß hat er nicht nur die Schwiegermutter
sondern das ganze Dorf im Sack. Zum Ausgleich bevölkert Hauptmann seine Tragikomödie mit Hünen, dem Schmied Langheinrich,
dem Arzt Dr. Boxer — wie dankbar müssen wir für all diese verrä-
terischen Namen sein! —, die zusammen mit dem Gesellen Ede sich
am Amboß wahre Muskelwettkämpfe liefern, Dr. Boxers dreißig
Hammerschläge in einem Atem — so beginnt der zweite Akt —,
Gewichtheben bis zu anderthalb Zentner, was Ede freilich etwas
skeptisch mit dem Kompliment quittiert: *Da mißten Sie ja'n Herr
Kules sind.*
Aber das schlüssigste Beweisstück ist die Verwandlung, der über-
raschende Aufstieg des Flickschusters Fielitz, der, so wird sich am
Schluß erweisen, auf dem Personenzettel mit gutem Recht der Mutter
Wolffen vorangeht, nicht, wie der alte Wolff, *ihr Mann,* sondern sie
seine Frau. Er sieht zu Beginn dem seligen Julius zum Verwechseln
ähnlich, ein *Männdl,* mit dem man umspringen kann, weniger gutmütig, weniger unbeholfen als der erste, den die Wolffen *in't Jrab
jebracht* hat, aber im ganzen doch bei all seinem Rabautz und all
seiner Aufmuckerei ein gefügiges und leicht manipulierbares Werk-

zeug in den Händen der Mutter. Die Veränderung, die sich mit ihm vollzieht, scheint wie ein Wunder. Was immer er im viérten Akt von sich gibt, zeugt von einem sich fast überschlagenden Selbstgefühl und Selbstbewußtsein, er kann sich gar nicht genug tun mit den Bekundungen seiner neu erwachten Männlichkeit. So geht es von: *Ick wer det beweisen, Mutter, ick will die det klar machen, wer ick bin* bis zu: *Ick will euch noch alle wat zeijen, Mutter, wo ick jetzt uff'n Trichter jekomm' bin. Ick nehm et noch heut mit jed'n uff*, und alles was dazwischen liegt, schlägt in dieselbe Tonart. Ist das noch der Mann, von dem Mutter Wolffen in jener ganz anderen Zeit, bevor es brannte, sagen konnte, sie blase ihn mit einem Husten *bis nach Berlin*?

Die Vorzeit, die mythische Zeit des Matriarchats ist vorbei. Und wieder hat uns, so möchten wir vermuten, Hauptmann einen Wink gegeben. Fast bis zum Überdruß häufig wird von Fielitz' Wunsch gesprochen, sich eine Wanduhr zu kaufen. Bei der Fahrt nach Berlin, dem Ausweichmanöver während des *Tempel*-Brandes, hat der Schuster sich dieses langbegehrte Möbelstück schließlich angeschafft und es triumphierend heimgebracht — in das Haus, das es freilich bei seiner Rückkehr nicht mehr gibt. Jetzt, im vierten Akt, hängt es an der Wand, ein wahres Heiligtum für Fielitz, der allem und jedem, vorzüglich aber dem Weibervolk, auf das strengste untersagt, es anzurühren. Nun ist erstaunlich, daß dieses Hausgerät im Stück nie eine Uhr genannt wird, sondern konsequent und dem Publikum gewiß nicht mühelos verständlich ein *Regulator*. Warum nur? Ist es eine weitere von Hauptmanns „Verschrobenheiten" [15]? Vielleicht doch nicht. Nachdem das Haus der Wolffen in Flammen aufgegangen ist, zieht das Regulierende, das Ordnungsinstrument, in die Wohnstatt ein. Die gemessene Zeit bricht an, die die mythische Zeitlosigkeit der Mutter-Welt, die nur den kreatürlichen Rhythmus des Lebens, aber nicht die künstliche Normalisierung und Normierung der Uhr kennt, für immer aufhebt und ablöst. Eine neue Stunde, geboren aus dem Brande des Mutter-Hauses, schlägt. Es ist die Stunde, unter der das Mutterbild verbleichen muß [16].

Mutter Wolffen ist verblichen. Und hier bietet uns Hauptmann eine letzte Überraschung. Auf die verblüffendste Weise geht das Stück vom „Roten Hahn" zu Ende. Dr. Boxer verkündet ihren Tod: *von jetzt ab schweigt sie sich aus*, Worte deren feierlicher Klang, deren Hinweis auf ein Geheimnis, das die alte Waschfrau mit sich nimmt, nicht überhört werden sollten. Er nimmt Abschied, wir nehmen Abschied von der Mutter Wolffen, die — und dies gleich in einem Doppel-Drama — der Dichter so zentral in die von ihm erschaffene Welt stellte, daß alle Gestalten, die sie umgaben, nichts anderes

waren als Gegenspieler oder gar nur Komparsen in einem um sie
kreisenden Kosmos. Sollte man nicht meinen, daß jetzt, da sie nicht
mehr ist, der Vorhang sich rasch senken müßte? Aber genau dies
geschieht nicht. Es folgt eine erstaunliche Bühnenanweisung: *Im
Hintergrund steht Fielitz, ohne Interesse für den Vorgang, und
betrachtet seine Augen scharf und vertieft in einem Handspiegel.*
Müssen wir kommentieren? Das Spiel von der Mutter endet — mit
einem Blick auf den Mann im Hintergrund. Und was tut er? Er
betrachtet sich, er erkennt sich als der, der er ist: im Spiegel erscheint
das „Bild" des Mannes, nachdem die Mutter verblichen ist.

Das Bild des Mannes! Es gilt, einen letzten Fingerzeig zu verfolgen.
Wieder stehen wir vor einer sinnlosen „Störung", sinnlos freilich
nur, solange uns nicht die Augen für das untergründige Thema
geöffnet sind, eine Stelle, die, sofern sie überhaupt kommentiert
wurde, nur Kopfschütteln und gesinnungsstarke Indignation[17]
hervorgerufen hat. Im dritten Akt geschieht das Folgende: mitten
in den Untersuchungen, die zur Ergreifung des Brandstifters führen
sollen, unterbricht Wehrhahn den Vernehmungs- und Aussage-
prozeß und beginnt, unter seinen Papieren zu kramen. Er zieht einen
Gegenstand heraus, den er der Fielitz überreicht und von dem er
erklärt: *übrigens hab ich da was jerettet.* Wie es zu dieser Rettung
kam, bleibt völlig im Dunkeln. Das Fielitzsche Haus ist auf den
Grund abgebrannt; mit keinem Wort wird erwähnt — und es wäre
auch im höchsten Grade unwahrscheinlich —, daß Wehrhahn selbst
an den vergeblichen Löschversuchen beteiligt und damit in der Lage
gewesen wäre, aus dem Innern des Hauses etwas sicherzustellen.
Aber das ist erst der Anfang der „Sinnlosigkeit". Als die Fielitz den
ihr dargebotenen Gegenstand von Wehrhahn empfängt, ereignet
sich etwas Außerordentliches. Sie *faßt mit einer schnellen Bewegung
von Wehrhahns Hand und küßt sie weinend.* Ein solcher Bruch in
der Charakterlinie der Heldin ist wirklich kaum zu verstehen. Zugegeben daß sie in geschickter Verstellung jammernd und weinend
das Amtszimmer betrat, um ihre Untröstlichkeit über den Verlust
ihres Hauses überzeugend zum Ausdruck zu bringen; aber daß die
resolute und vor nichts erzitternde Mutter Wolffen sich zu einer
solch demütigen und liebedienerischen Geste erniedrigen könnte,
ist schwer zu fassen. Welch ein Fall! Da hat sie im „Biberpelz", als
die Rede von Wehrhahn, von staatlicher Autorität war, gesagt: *Der
Mann is Ihn aber tumm, na horndumm . . . Das kann ich Ihn sagen,
wenns druff ankommt, dem stehl ich a Stuhl unterm Hintern weg.*
Und jetzt küßt sie demselben Wehrhahn in kriecherischer Unter-
würfigkeit die Hand. Es muß schon etwas ganz Besonderes sein, was
Wehrhahn ihr hier überreicht. Was ist es? Eine gerahmte Photo-

graphie des alten Wolff, das von der Obrigkeit aus dem brennenden Mutter-Haus gerettete Manns-Bild. Es ist gerettet in dem Augenblick, da der Sitz des Matriarchats sich selbst zerstört. Und demütig beugt sich ihm die Mutter. Sie hat abgedankt zugunsten des Vaters, der aus der Asche erstanden ist.

III

Ein knappes Vierteljahrhundert nach dem „Roten Hahn", mehr als ein Menschenalter nach dem „Biberpelz" veröffentlichte Gerhart Hauptmann einen Roman mit dem Titel „Die Insel der großen Mutter oder das Wunder von Ile des Dames". Er erzählt die Geschichte der Gründung, Blüte und Zerstörung eines Matriarchats auf dem *utopischen Archipelagus*, wo weit über fünfzig Frauen nach dem Scheitern des hochzivilisierten Luxusschiffes Kormoran auf märchenhafte Weise gelandet sind. Nur e i n männliches Wesen, ein zwölfjähriger Knabe, Sohn einer der Schiffsbrüchigen, befindet sich unter ihnen. Ein Frauenreich wird gegründet, das sich binnen Kurzem in ein Mütterreich verwandelt, da, ein Wunder, wenn man bereit ist, an das sich immer reicher entwickelnde Kulttabu des Matriarchats zu glauben, die ins Utopische Geretteten gebären und einer fast unübersehbaren Kinderschar das Leben schenken. Um das Matriarchat rein zu erhalten, werden die männlichen Kinder, sobald sie das Knabenalter erreicht haben, an den Rand der Insel abgedrängt, wo sie sich zu einem straff organisierten Männerstaat zusammenschließen, dem sie selbst den Namen *Mannland* geben, von den Müttern oft zu *Wildermannland* abgeändert. Nach etwa einem Menschenalter zerfällt das Mutterreich. Die Mütter selbst, von einem frenetischen Taumel ergriffen, zünden den *Tempel* an, das Heiligtum der Bona Dea und des Gottes Mukalinda, denen nach ihren mythologischen Vorstellungen die Frauen ihre wunderbare Fruchtbarkeit verdanken. Nachdem der Wohnsitz des Mutter-Geistes ausgebrannt ist, stirbt die heiligste Mutter, die Hohepriesterin des Mutterkultes — plötzlich, unvermittelt, ohne daß eine Krankheit sie hinwegraffte. Vorher aber, als die Flammen aus dem *Tempel* schlugen, haben sich die Jünglinge zusammengerottet und stürmen, über den Wildermannpaß dringend, die Hauptinsel, deren Mütter und Töchter sie mit Küssen und Tränen empfangen. Auf dem Banner, das den über die Asche des Tempels dahinbrausenden Eroberern voranflattert, steht nur ein Wort: *Mann!*
So trägt es sich zu auf dem utopischen Archipelagos. Wie weit wohl ist er entfernt von einem Arme-Leute-Dorf *irgendwo um Berlin?*

DAS HOHE SPIEL DER ZAHLEN:

Die Peeperkorn-Episode in Thomas Manns „Zauberberg"

I

Wie geschäftig und einem politischen „Denksystem" gehorsam sich auch gewisse Kritiker und Deuter des Thomas Mannschen Werkes bemüht haben, ihm ideologische und soziologische Bekenntnisse und Manifestationen zu unterschieben, wie unbeirrbar er selbst auch seinen Kampf gegen die geistigen Perversionen und Verbrechen eines unhumanen Regimes geführt hat — in letzter Sicht hat er Kunst, seine Kunst nicht als die Handlangerin zeitgebundener Proklamationen und Positionen betrachtet, sondern als die Stütze, die der Mensch sich gefunden hat, um sein Leid zu sänftigen. Zum 75. Geburtstag von Hermann Hesse schrieb er dem alten Freund einen bewegenden Brief, der mit den folgenden Worten endet: „Auf Wiedersehen, lieber alter Weggenosse durchs Tal der Tränen, worin uns beiden der Trost der Träume gegeben war, des Spiels und der Form."[1] Die Agonien des Lebens werden nicht verschleiert, diese Welt i s t in der Tat ein Jammertal. Aber das Spiel der Kunst ist der erlösende Kontrapunkt zu der schweren Bürde unseres Daseins, so wie die strenge Form der Kunst uns, hineingestellt in das wirbelnde Chaos und die Zerrissenheit der uns umgebenden Wirklichkeit, eine Ahnung von Ordnung und Zusammenhang vermittelt.

Musik ist das Medium, für Hermann Hesse nicht weniger als für Thomas Mann, in dem das wahre Wesen der Kunst sich beispielhaft erfüllt, denn sie ist frei von „Bedeutung"; und wie Hermann Hesses wildestes Buch, „Steppenwolf", mit der Zuversicht endet: „Mozart wartet auf mich", so formte sich Thomas Manns wildestes Buch, „Doktor Faustus" zur Einsicht in die Beseeligung und Verruchtheit der Musik an einem bestimmten Punkte ihrer Geschichte. In dem Augenblick, da sich Adrian Leverkühn unwiderruflich der Welt der Töne und des Töne-Setzens verschreibt, erzählt uns Serenus Zeitblom, Chronist der Passion seines Freundes, was Musik ist und was Leverkühn in ihr findet und verwirklicht: „Längst war er kein Anfänger mehr im Studium der Musik, ihres seltsam kabbalistischen, zugleich spielerischen und strengen, ingeniösen und tiefsinnigen Handwerks" (VI, 199) [2]. Zeitblom spricht von Musik, aber die Elemente des Spiels und der Form sind dieselben, die Thomas Mann in seinem Geburtstagsbrief an Hermann Hesse als die Voraussetzungen und Gaben des eignen Mediums aufruft, die Quelle, aus der ihre Kunst, alle Kunst sich speist.

Wir wollen Zeitbloms Definition als Ausgangspunkt nehmen, um eine wohlbekannte und wichtige Episode im „Zauberberg" zu deuten, eine oft erörterte, freilich nie in dem Sinne, in dem wir sie vorzuführen gedenken: Erscheinen, Herrschaft und Tod von Mynheer Pieter Peeperkorn in der verzauberten Landschaft. Das erste Attribut, das Serenus Zeitblom der Musik zuschrieb, ist ihr seltsamer Kabbalismus, und wahrhaft kabbalistisch ist die Verwendung der Zahl sieben im „Zauberberg". Wir müssen hier nicht die vielen Beispiele aufführen, da der Tatbestand häufig genug belegt worden ist [3], obwohl wir einige der verräterischsten und verblüffendsten Proben hinzuzufügen haben. Aber hier schon sei festgehalten, daß die Zahl sieben nicht einfach eine Ziffer ist wie jede andre. Sie ist in christlichem Denken und die ganze christliche Tradition beherrschend eine heilige Zahl, die Vereinigung von Menschlichem und Göttlichem, von Phänomenon und Noumenon, die Inkarnation [4].

Bevor wir uns aber unserm eigentlichen Gegenstand zuwenden, einen flüchtigen Blick wenigstens auf den Zwangsmechanismus, mit dem die Siebenzahl in Thomas Manns Werk erscheint, nachdem er sie für den „Zauberberg" entdeckt hatte; und zu betonen ist, daß eine solche kabbalistische Zahlenmystik in der Tat das Zusammengehen von Spiel und Form bedeutet. Die Ziffer sieben strukturiert das gesamte Werk und bestimmt seine innere und äußere Form; gleichzeitig aber bietet sie das tiefsinnige Vergnügen des Versteckspiels, dem nachzugehen ebenso amüsant wie bedeutsam ist.

In dem, was dem „Zauberberg" folgte, regiert die Zahl sieben uneingeschränkt. Jeder Teil der biblischen Tetralogie, die sein nächstes Hauptwerk wurde, ist untergeteilt in sieben „Hauptstücke", selbst noch das kurze zweite Buch „Der junge Joseph". Dabei sind die Unterabteilungen der Hauptstücke nicht zu übersehen, die Thomas Mann freilich nicht numeriert hat, um dem Leser das kabbalistische Vergnügen der Entdeckung freizustellen, ein Vergnügen, das sich allerdings, soweit ich weiß, kein Leser bis jetzt gegönnt hat. In dem ersten Buch, „Die Geschichten Jaakobs", erzählt Unterkapitel 49 (sieben mal sieben) das Ereignis der Geburt Josephs. In dem dritten Teil [5], „Joseph in Ägypten", führt das Unterkapitel 49 zu der „Hochstunde unserer Geschichte" (V, 1246 f.), Josephs Verführung oder abortive Verführung durch Potiphars Weib, endend mit den leidenschaftlichen Anschuldigungen der verschmähten Frau, die zu Josephs Verhaftung führen und schließlich zurück in die „Grube", aus der er zu Beginn des Buches herausgeholt wurde, um die erste Station seines märchenhaften Aufstiegs in Ägypten zu beginnen. Im letzten Teil, „Joseph der Ernährer", läßt das 49. Unterkapitel die Katze aus dem Sack. Es ist überschrieben „Ihrer Siebzig"; während schon einer der vorangegangenen und entscheidendsten Abschnitte, der Bericht von den sieben fetten und sieben mageren Jahren, den Titel „Sieben oder fünf" führte. Dieses Unterkapitel ist übrigens das 17. des ganzen Buches, sieben plus zehn, und entspricht damit „Ihrer Siebzig", sieben mal zehn, des 49. Unterkapitels.

In Thomas Manns nächstem Werk[6], „Lotte in Weimar", wird das Sieben-Spiel weitergeführt. Der Roman ist in neun Abschnitte eingeteilt, harmlos überschrieben als „Erstes Kapitel", „Zweites Kapitel", „Drittes Kapitel" und so fort — mit einer Ausnahme, dem siebenten, dem als einzigem in dem gesamten Roman der bestimmte Artikel zugebilligt wird: „Das Siebente Kapitel". Es ist natürlich nicht nur das längste des ganzen Buches, sondern hier erscheint zum ersten Male Goethe in Person, nachdem alles Vorangegangene die Reflektionen und Brechungen seines Wesens durch die Augen der zahlreichen Besucher vorgeführt hatte, die bei Lotte in ihrem Hotel vorsprechen.

Aber das Spiel überschlägt sich nahezu im „Doktor Faustus" — und wie könnte es auch anders sein, da der Roman von jener Kunst handelt, die das Paradigma aller Kunst ist: seltsam kabbalistisch, zugleich spielerisch und streng, ingeniös und tiefsinnig. Wir dürfen erwarten, daß der Zauberkünstler sein Äußerstes leisten wird[7]. Das Buch ist in Abschnitte eingeteilt, weder „Kapitel" noch „Hauptstück" genannt, sondern einfach durchgezählt, zusätzlich einer betont unnumerierten „Nachschrift", die mit den Worten: „Es ist getan" beginnt und damit anzeigt, daß wir uns jenseits des *finis* befinden[8]. Da wir dem Hexenmeister auf seine Schliche gekommen sind, dürfen wir mit Sicherheit annehmen, daß die Nummern bis zur Zahl 49 durchlaufen werden. Aber wir haben falsch geraten, oder besser: etwas ist falsch geraten. Die Ziffer an der Spitze des letzten Abschnitts lautet 47. Wie enorm peinlich! Der Zauberkünstler hat uns im Stich gelassen. Aber hat er es wirklich? Wir durchblättern das Buch und machen eine seltsame Entdeckung. Ein Abschnitt, und nur ein einziger des Romans, ist dreigeteilt, und die Dreiteilung ist als solche deutlich gemacht durch die Wiederholung derselben Ziffer mit dem parenthetischen Zusatz „Fortsetzung" und „Schluß". Dieselbe Zahl also erscheint dreimal (wir wollen an diesem Punkte unser Versteckspiel noch nicht durch die Enthüllung preisgeben, welche Zahl es ist); und diese Fragmentierung des Abschnitts muß uns auf den ersten Blick seltsam berühren, da es sich in den drei Stücken um ein durchlaufendes Thema handelt (wir wollen an diesem Punkt unser Versteckspiel noch nicht durch die Enthüllung preisgeben, welches Thema es ist). Eins aber ist gesichert: unsere Enttäuschung hat sich in Genugtuung verwandelt. „Doktor Faustus" ist in 49 Abschnitte eingeteilt, freilich so spielerisch und ingeniös, daß es dem ahnungslosen Leser verborgen bleibt. Aber wir sollten nicht vergessen, daß Kabbala eine Geheimwissenschaft ist.

Da wir uns also bezüglich der spielerischen Form und des formgebundenen Spiels des Gesamtromans nicht getäuscht haben, da wir den Trick aufdecken konnten, mit dessen Hilfe 47 zu 49 oder 49 zu 47 gemacht wurde, werden wir uns schwerlich in unsrer Vermutung irren, welcher Abschnitt es denn sei, der in drei Teile auseinandergebrochen ist, so daß dieselbe Kapitelnummer dreimal in dem Buch erscheinen kann. Welch andere als die Nummer 34? Ihre Quersumme ergibt 7, und jede ihrer Einzelziffern, 3 und 4, ist der Grund, der aus ihrer Addition eine heilige Zahl macht. Drei ist die Trinität, das Göttliche und Noumenon, vier ist die Erde mit ihren vier Enden, unter diesem Bild seit den frühesten Zeiten der Menschheitsvorstellung gegenwärtig[9]. Außerdem ist die Zahl 34 der Schlüssel des Magischen Quadrats, jener kabbalistischen Anordnung der Ziffern 1 bis 16, die, in jeder der zehn möglichen Richtungen gelesen, horizontal, vertikal oder diagonal, immer die Summe 34 ergeben[10]. Und wenn wir mit Leverkühns musikalischem Werk vertraut sind, dann wissen wir auch, wovon das dreigeteilte 34. Kapitel handeln muß. Es enthält die ausführliche Beschreibung und Erörterung seines großen Oratoriums, geschrieben unter Zugrundelegung der Dürerschen Holzschnittreihe Apocalipsis cum figuris, welcher Titel sehr wohl den Gesamttitel für Thomas Manns Roman abgeben könnte. Er tut es nicht; aber in dem Tagebuch, das Thomas Mann, während er den „Doktor Faustus" schrieb, führte, und das er später in seinen Bericht von der „Entstehung des Doktor Faustus" eingearbeitet hat, nennt er Apocalipsis cum figuris Leverkühns „Hauptwerk" (XI, 245)[11], nur um sich sofort durch den Zusatz „sein erstes Hauptwerk" zu verbessern, denn das wirkliche „Hauptwerk" ist natürlich „Doktor Fausti Wehklag", die endgültige Apokalypse (sine figuris), die herzzerreißende Lamentation und Selbstverfluchung des teuflisch inspirierten Tonsetzers, der mit dem Klavierauszug vor sich seine letzte Musik, seine letzte Verdammnis zu Gehör bringt — in Kapitel 47, das, wir wissen es jetzt besser, natürlich Kapitel 49 ist. Halten wir an dieser Zahl fest, dann erkennen wir erst, wie ingeniös der Komponistenroman komponiert ist; denn wenn wir die arithmetische Mitte von 49 ausrechnen, dann ergibt sich die Zahl 25, vierundzwanzig Kapitel vorangehend und vierundzwanzig Kapitel folgend. Kann auch nur der geringste Zweifel darüber bestehen, was dieser 25. Abschnitt erzählt? Natürlich die Geschichte des Paktes zwischen Adrian und dem Teufel[12].

II

Es mag scheinen, wir hätten unsern Weg verloren, da wir doch versprachen, uns mit einer Episode des „Zauberbergs" zu beschäftigen, in dem die Siebenzahl ihren Ursprung hatte. Aber wir hatten guten Grund, diese Abstecher zu machen; denn es hat sich erwiesen, daß der Ziffernzauber mehr ist als eine „private Kuriosität" Thomas Manns oder ein märchenähnliches Leitmotiv, als die frühere Interpreten dieses Phänomen abgetan haben. Es ist ein Wesenszug in Thomas Manns spätem Werk, und als solcher mit „Tiefsinn" ausgestattet, jenem Tiefsinn, der uns den Schlüssel zu Mynheer Peeperkorns Rolle auf dem Zauberberg bieten wird. Wir haben überdies auf unserer Reise durch die Zahlenwelt, die zentrale Bedeutung der Ziffern 3 und 4 entdeckt, auf der die Heiligkeit ihrer Summe, der Sieben, gründet. Freilich, wir hätten sie dem „Zauberberg" selbst ablesen können; denn die zweite Unterabteilung des ersten Hauptkapitels (und der Roman hat natürlich insgesamt sieben Hauptkapitel) ist schlicht und einfach überschrieben „Nr. 34". An diesem Punkte betritt Hans Castorp zum ersten Male das Sanatorium Berghof, und die Ziffer 34 über diesem Unterkapitel ist die Nummer des Zimmers, das er während seiner sieben Jahre auf dem Zauberberg bewohnen wird.

Wenn wir uns jetzt von dieser zweiten Unterabteilung des ersten Kapitels zu der entsprechenden Stelle im letzten, im siebenten wenden, so stoßen wir auf die Überschrift „Mynheer Peeperkorn". Aber diese Entsprechung ist nur ein erster Schritt; zählen wir nämlich all die Unterabschnitte der sieben Hauptkapitel durch (und wir müssen es wieder selbst tun, da Thomas Mann soviel spielerischen Geist von uns erwartet), so ergibt sich, daß Mynheer Peeperkorn in Unterkapitel 43 in den Roman eingeführt wird, wieder also die Zahlen 3 und 4, nur in umgekehrter Folge. Diese Umkehrung oder Vertauschung wird uns das Stichwort zum Verständnis der ganzen Peeperkorn-Episode liefern. Aber bevor wie sie erörtern können, müssen wir zuerst das Zahlenspiel weiter verfolgen, das diesen Teil des Romans auf das tiefsinnigste durchzieht.

Um die Geschichte von Mynheer Peeperkorn im Rahmen des Gesamtromans vorzutragen, braucht Thomas Mann vier Unterkapitel. Von diesen vier führen drei den Namen des Protagonisten im Titel: „Mynheer Peeperkorn", „Mynheer Peeperkorn (des Weiteren)" und „Mynheer Peeperkorn (Schluß)", bei welcher Beobachtung sich wohl die Feststellung erübrigt, daß dies das einzige Beispiel im „Zauberberg" ist, das eine solche Aufspaltung von Unterabteilungstiteln aufzuweisen hat. Das Resultat ist offenkundig: wieder haben wir das Gegeneinanderspiel von 4 und 3. Peeperkorns Leben und Tod spielt sich in vier Stadien ab, von denen drei durch die Benutzung und Wiederholung seines Namens in den Überschriften gekennzeichnet sind. Dies entspricht genau der Dreiteilung des 34. Abschnitts im „Doktor Faustus". Die Aufspaltung des 34. Abschnitts im Musikerroman in eine Triade bot die Erklärung dafür, daß die Gesamterzählung nur 47 Nummern brauchte, weil 47 eben 49 war. Da aber im „Zauberberg" die integrale Einheit „Peeperkorn" in drei Teile aufgelöst wird, die seinen Namen im Titel tragen, ist es selbstverständlich, daß der Roman im Gesamt 51 Unterkapitel haben muß (und 51 Unterkapitel hat er natürlich), um „kabbalistisch" die Zahl 49 zu verwirklichen. Im „Doktor Faustus" sind wir angehalten, eins als drei zu zählen, im „Zauberberg" die drei Abschnitte, die Peeperkorns Namen in der Überschrift führen, als eins.

Da aber die Peeperkorn-Episode in vier Unterkapiteln erzählt wird, muß es eins geben, das den Namen des Protagonisten nicht im Titel führt. Seltsamerweise ist es eingelassen in die Sequenz von „Peeperkorn"-Kapiteln, als Nummer zwei der viertaktigen Bewegung, zwischen den Abschnitt überschrieben „Mynheer Peeperkorn" und den andern „Mynheer Peeperkorn (des Weiteren)"; und vielleicht etwas weniger seltsam, dieses Unterkapitel führt eine Ziffer im Titel: „Vingt et un" — dreimal sieben. Wichtig für uns ist an diesem Punkte die strukturelle Anordnung. Die Geschichte Peeperkorns entfaltet sich unter den folgenden Überschriften: 1. „Mynheer Peeperkorn", 2. (nicht Mynheer Peeperkorn, sondern) „Vingt et un", 3. „Mynheer Peeperkorn (des Weiteren)", 4. „Mynheer Peeperkorn (Schluß)". Somit steht die Sequenz der Titelbezeichnungen unter dem Gesetz: eins und dann zwei. Das Kapitel, das in die Sequenz eingeschoben ist, kehrt dieses Zahlenverhältnis um: zwei und dann eins, Vingt et un.

Was nun erzählt dieses Kapitel? Nachdem Mynheer Peeperkorn, die „Persönlichkeit" *kat' exochen*, als die er im Roman immer wieder bezeichnet wird, sich eine Zeitlang auf dem Zauberberg aufgehalten hat — überrascht es uns zu hören, daß es wohl *drei bis vier* Wochen

(769) waren? —, versammelt er nach dem Abendessen ein paar seiner Mitpatienten um sich, und nun beginnt ein opulentes Fest, über das der Holländer majestätisch präsidiert und das bis in die frühen Morgenstunden dauert. Es ist, so wird uns an einem bestimmten Punkte versichert, ein veritables *Bacchanal* (790), obwohl es ganz harmlos beginnt, mit einem Kartenspiel (natürlich, einem Spiel!), dessen Beschreibung im Kapitel nicht mehr als eine von ungefähr fünfundzwanzig Seiten gewidmet ist, und das doch gewichtig genug sein muß, um diesem ganzen Abschnitt seinen Namen zu geben. Was wohl kann es so gewichtig machen? Was anders als sein Name, die Zahl Vingt et un. Wenn wir die Beschreibung dieses Kartenspiels lesen, wenn wir an der Erregung, die es unter den Partnern erzeugt, teilnehmen, dann erkennen wir es sofort als eine der populärsten Belustigungen dieser Gattung, in Deutschland und auswärts. Freilich, im Deutschen läuft es unter einem anderen Namen: Siebzehn und Vier. Thomas Mann hat also den deutschen Namen ausgeklammert und dafür das französische Äquivalent eingesetzt, das dem deutschen Leser keineswegs vertraut ist — und er hat es getan, weil dieses französische Äquivalent ihm die Zahl anbot, die er als Signal brauchte. Darüber hinaus hat er einen deutschen Ausdruck in einen französischen verkehrt, und, wie schon angedeutet und im folgenden immer wieder auszuführen, das Prinzip des Transponierens und Vertauschens gehört in der Tat zum Wesen und Zentrum der Peeperkorn-Episode.

Überzeugt von der kompulsiven Gültigkeit des Transponierens und Vertauschens, sehen wir uns jetzt in dem Unterkapitel „Vingt et un" nach der Umkehrung der Ziffern um, nach der Zahl 12, die beiläufig dreimal vier ist. Wir werden uns natürlich nicht vergeblich umzusehen haben. Versammelt um den Tisch zu diesem mitternächtlichen Bankett hat der Holländer zwölf Personen, der Mynheer und Meister in der Mitte, Hans Castorp, sein Liebling, zu seiner Seite. Aber jetzt sollten wir ihn wohl bei seinem vollen Namen nennen, Johannes, der Lieblingsjünger; denn was uns hier vorgeführt wird, ist ebenso sehr ein Bild des Hl. Abendmahls wie es ein Bacchanal ist. Kein Zweifel, daß die „Persönlichkeit", die Thomas Mann in elfter Stunde in seinen Roman einführt, eine eigentümliche Verbindung von Dionysos und Christus ist, trotz ihrer Verschleierung klar als solche erkennbar und von einigen wenigen „Zauberberg"-Interpreten auch geahnt[13], selbst wenn ein so scharfsichtiger Kritiker wie Hermann Weigand bekennen mußte: „Es ist nicht leicht, eine passende Formel für diese abstruse (‚weird') Synthese von torkelndem Dionysos und Jesus in Gethsemane zu finden."[14] Es ist alles andere als eine abstruse Synthese. Aber an diesem Punkte gilt es erst festzustellen, daß alles, was Mynheer Peeperkorn umgibt, daß er selber unter dem Gesetz der Vertauschung steht, einem Konfigurations-wechsel, der alles bestimmt.

Hl. Abendmahl und Bacchanal — aber das ist nicht das Ende. Denn innerhalb dieser Bilder, in ihrem biblischen und heidnischen Aspekt, vollzieht sich eine Verkehrung. So wie im Alten Testament auf das Abendmahl, auf Christi festliche Gemeinschaft mit seinen Jüngern, die Nacht im Garten Gethsemane, der Augenblick letzter Einsam-keit, folgt, so droht Mynheer Peeperkorns grandioses Eß- und Trink-gelage in Verödung und Preisgabe des Meisters umzuschlagen. Hier ist die Stelle, wo die Szene im Sanatorium Berghof durchsichtig wird und uns im Hintergrund das biblische Modell voll erkennen läßt. Denn Mynheer Peeperkorn zeigt sich nun so erstaunlich bibelfest, daß er den ganzen neutestamentlichen Text, unterbrochen von seinen eigenen Einwürfen, wörtlich zitieren kann:

Gethsemane! „Und nahm zu sich Petrum und die zween Söhne Zebedei. Und sprach zu ihnen: Bleibet hie und wachet mit mir". Sie erinnern sich? „Und kam zu ihnen und fand sie schlafend und sprach zu Petro: Könnet ihr denn nicht eine Stunde mit mir wachen?" Intensiv, meine Herrschaften! Durchdringend. Herzbewegend. „Und kam und fand sie aber schlafend, und ihre Augen waren voll Schlafs. Und sprach zu ihnen: Ach, wollt ihr nun schlafen und ruhen? Siehe, die Stunde ist hie . . ." Meine Herrschaf-ten: durchbohrend, herzversehrend (789).

Gethsemane aber ist nicht das letzte Wort. Wieder kehrt sich die Szene um. Mynheer Peeperkorn wiederholt Christi Ankündigung, mit der die Passion anhebt: „Die Stunde ist hie", Worte, die er selbst soeben als *durchbohrend, herzversehrend* bezeichnet hat, aber wenn er sie jetzt ausspricht, so sind sie als Aufforderung an die Kellnerin gemeint, die Runde mit weiterem, noch reicherem Eß- und Trinkproviant zu versehen, damit das Hl. Abendmahl seinen Fort-gang nehmen kann.

Aber nicht nur Abendmahl und Gethsemane fließen in Mynheer Peeperkorns grandioser „Vingt et un"-Veranstaltung ineinander. Dieselbe Vermischung spielt sich auf der klassischen, der heidnischen Ebene ab; denn das Bacchanal scheint in jedem Moment an dem Punkt, in sein Gegenteil umzuschlagen. Der berauschenden und berauschten Hochstimmung drohen immer wieder die latenten *Koller* des majestätischen Gastgebers, Ausbrüche göttlichen Zornes, die über den versammelten Satyrn, Silenen und Mänaden schweben, und die Thomas Mann bedeutsamer- und aufschlußreicherweise als die Zuckungen *panischer Schrecken* (782) bezeichnet. So verbindet sich das Bild Dionysos' mit dem seines engsten Gefolgsmannes in den Bacchanalien, des großen Gottes Pan, der, wenn die Stunde kommt („Die Stunde ist hie") über die Landschaft die tödliche Stille breitet, in der die Natur ihren Atem anhält und der großen Schläfrigkeit verfällt.

Die Parallele der christlichen und heidnischen Konfiguration ist offenbar, so wie die Transmutation, die sich in beiden vollzieht. Jetzt aber wenden wir uns dem Meister und Veranstalter der Festlichkeiten zu, in dem die Gestalten Christi und Dionysos' sich begegnen[15] und zwar so, daß der eine in den andern überwechseln kann, heilig in beiden Aspekten. Nicht zufällig kann Mynheer Peeperkorn in einem bestimmten Moment des großen Festessens ausrufen: *Meine Herrschaften — heilig! Heilig in jederlei Sinne, im christlichen wie im heidnischen* (792), wobei am Rande bemerkt sei, daß das Wort „heilig" in der Konversation am Abendmahlstisch siebenmal fällt, sofern wir bereit sind, die Wiederholung des Wortes in dem eben angezogenen Zitat als eins zu zählen, sicher doch mit Berechtigung, da diese Unterstreichung durch Verdopplung an der Stelle geschieht, da das Wort zum letzten, zum siebenten Mal gesprochen wird. Diese Synthese von Christus und Dionysos ist nun gewiß nicht „abstrus", und für den deutschen Leser alles andere als blasphemisch. Es geschah an einem der höchsten Momente deutscher Dichtung, daß Dionysos und Christus in engster Gemeinschaft gesehen wurden, so eng, daß Christus mit den Worten apostrophiert werden konnte: „Du bist Bruder auch des Eviers." Ich spreche von Hölderlin[16].

Diese Brüderschaft ist keine leichtfertige Stiftung, für Hölderlin ebensowenig wie für Thomas Mann. Auf den ersten Blick scheinen die beiden Gottheiten an entgegengesetzten Polen zu stehen: der eine die Verkörperung alles Erdhaften, üppiger Fruchtbarkeit der sich reproduzierenden Natur, Triumph vitalster Instinkte und der Freuden fleischlicher Schöpfungslust; der andre, der sein Reich als nicht von dieser Welt erklärte und den Weg in ein Jenseits wies, in dem alles Materielle hinfällig wird. Und doch: Brüder sind sie, Brüder im Spiegelbild. Was sie eint ist der Gedanke der Inkarnation. In Christus wird das Wort, der göttliche Geist, Fleisch, das Himmlische steigt zur Erde herab, Licht scheinet in der Finsternis. In Dionysos verwandeln sich die blindbrodelnden Naturkräfte zu Göttlichem, das Saatkorn, vergraben im dunklen Schoß der Erde, bricht durch die Kruste ins Obere, und in der festlichen Erscheinung des Gottes zerreißen die leuchtenden Fackeln das Dunkel der Nacht. Die Chiffre, in der das Erdhafte und das Numinose sich treffen, ist Mynheer Peeperkorn, oder, wenn wir Chiffre in einem mathematischen Sinn verstehen wollen, ist sie die Ziffer 7, die den „Zauberberg" träumerisch, spielerisch und formgebend beherrscht.

Trotz Hermann Weigands Verzagtheit gibt es eine „passende Formel", in der die Inkarnation sich manifestiert, und diese Formel steht über der ganzen Peeperkorn-Episode. Ihre Substanz muß eine Gabe der Natur, der Erde sein, die in einem Akt der Transformation sich in Geist verwandelt in dem Augenblick „Vingt et un", Hl. Abendmahl und Bacchanal in einem. Es ist die Formel, die Hölderlin als Titel für eine seiner größten Elegien wählte, in der die Brüderschaft von Dionysos und Christus aufs neue gefeiert wird: Brot und Wein. Und jetzt verstehen wir, warum Abendmahl und Bacchanal in eins fallen können und müssen. Das Mahl Christi im Kreise seiner Apostel ist durch den Genuß von Brot und Wein die Einsetzung der Eucharistie („dies ist mein Fleisch, dies ist mein Blut"); die Mysterien des Dionysos gipfeln in dem Ausbruch, in des Wortes eigentlichem Sinn, durch den die Bacchanten in ihrer höchsten Inspiriertheit — inspiriert in der doppelten Bedeutung von *spiritus* — eins werden mit dem Gotte. Nur wenn wir die genaue Beschreibung des Banketts im Sanatorium Berghof in diesem Sinne lesen, wird ihre volle Bedeutung offenbar. Wir müssen sorgfältig auf die Bemerkungen hören, die Hans Castorp in seinem „inspirierten" Zustand macht, seine Preishymnen — und da sie an Dionysos gerichtet sind, dürfen wir sie getrost Dithyramben nennen — auf die *einfachen und natürlichen Gaben des Lebens, die so groß und heilig sind* (782), und dann wieder auf die *klassischen Lebensgaben des Einfachen und Heiligen* (787), allem voran *der Wein also, ein göttliches Geschenk an die Menschen* (ebda). In seinen Lobgesängen erweist sich Hans Castorp wohlvertraut mit klassisch-humanistischem Gedankengut: der Wein ist es, so belehrt er seinen majestätisch göttlichen Nachbarn, der dem Menschengeschlecht die Kultur brachte, jenes Naß, vorzüglich dazu angetan, daß *die Menschen aus dem Stande der Roheit traten und Gesittung erlangten, und noch heute gelten die Völker, bei denen Wein wächst, für gesitteter ... als die weinlosen, die Kimerer, was sicher bemerkenswert ist* (ebda). Ja, es ist in hohem Grade bemerkenswert. Die Veredelung des Menschen, im christlichen wie im heidnischen Sinne, sein Aufstieg von Barbarei zu wahrem Leben ist das Werk des Weingottes nicht weniger als des Gottes der Eucharistie.

Thomas Mann wäre nicht in seiner besten Form, wenn er mit der Formel „Brot und Wein" nicht sein ingeniöses und tiefsinniges Spiel triebe. In diese Formel baut er wieder das Prinzip der Vertauschung und Umkehrung, so daß von allem Anfang an kein Zweifel darüber bestehen kann, daß wir es in der Tat mit dem Ereignis der Transsubstantiation zu tun haben. Von allem Anfang an: denn wenn wir

Mynheer Peeperkorn zum ersten Mal treffen — der Erzähler hat gerade über seine Ankunft und Hans Castorps Reaktion auf diese Ankunft berichtet — sehen wir ihn, ganz der Rolle gemäß, auf seinem Sitz an einem der sieben Tische des Sanatorium-Speisesaals, andächtig dem Essen zugetan, für dessen Qualität die Heilanstalt von Dr. Behrens rechtens berühmt ist. Schon hier, sollte es wirklich ein Zufall sein?, *drei oder vier* Wochen vor dem eigentlichen Abendmahl *saßen Hans und Mynheer Peeperkorn sozusagen nebeneinander* (761), offenbar ein höchst kompliziertes Arrangement, da die beiden gar nicht am gleichen Tische plaziert sind. Nachdem er sein opulentes Menü beendet hat, bestellt der Holländer *ein wenig Brot . . . Gottesbrot, klares Brot* (764). Aber da wir es mit einer Episode zu tun haben, deren Innerstes der Gedanke der Transsubstantiation ist, meint er natürlich gar nicht Brot. Was er meint und was ihm auch umgehend serviert wird, ist flüssiges Brot, *einen Genever*, den er, so hören wir, *schluckte* (natürlich trinkt er ihn nicht, da es ja Brot ist, obwohl es offenkundig Brot eben nicht ist), *nachdem er es kurz gekaut* hatte. Welch seltsame Vereinnahmungsart für ein Getränk! Aber die Formel von Brot und Wein muß erfüllt werden, gerade dadurch, daß sie nicht erfüllt wird. Was Mynheer Peeperkorn bei seiner allerersten Mahlzeit zu sich nimmt, wenn er „Brot und Wein" konsumiert, ist offenkundig *spiritus* und *spiritus*. Er nennt es einen *Schnaps*, aber Thomas Mann gibt uns in derselben Zeile eine viel deckendere Bezeichnung: ein *Korndestillat*[17], und wir müssen der deutschen Sprache dankbar dafür sein, daß sie für einen ihrer größten Meister dieses Wort bereithält: Korn, den Namen der Feldfrucht, aus der Brot gemacht wird und gleichzeitig, nur durch die Änderung vom neutralen zum maskulinen Artikel, den Namen eines hochgradig alkoholischen Getränkes.

Wir verlieren uns durchaus nicht an Lappalien. Denn jetzt verstehen wir, warum der Holländer so heißt wie er heißt: Peeper-korn. Die Schlüsselmetapher, die auf Brot und Wein verweist, ist schon in seinen Namen eingraviert. Und der Pfeffer ist natürlich auch nicht von ungefähr. Gewürz, Pfeffer vor allem, deutet nach Indien, ein geographischer Fingerzeig auf die Herkunft des Mannes, der bekanntlich ein *Kolonialholländer* (758) aus Java, also aus Niederländisch Indien, ist, wobei sich wieder eine bedeutsame Verkehrung vollzieht, diesmal unserer globalen Orientierung, da die nordwestlichste Ecke Kontinentaleuropas sich mit der südöstlichsten Region Asiens verbindet. Aber Indien weckt noch andere, entscheidendere Assoziationen: es ist das Land, das Dionysos eroberte, um seine Bewohner die Kunst des Weinbaus zu lehren, ein Mythos, der so eindringlich im griechischen Bewußtsein lebte, daß er für Alexander den Großen, der Dionysos unter seine Vorfahren zählte, zum Ansporn wurde, den Indus-Fluß zu überschreiten. Jede unscheinbarste Einzelheit also, einschließlich der Bestandteile von Peeperkorns Namen, führt auf die Formel Brot und Wein zurück. Selbst noch in gewissen Idiomen, die Thomas Mann witzelnd benutzt (aber nur wenn wir den Wort-Ernst verstanden haben, können wir uns des Wort-Spiels erfreuen), ist das Brot-und-Wein-, das Korn-Thema gegenwärtig. Wenn Hans Castorp den ersten Eindruck, den der Holländer auf ihn gemacht hat, dem Hofrat Behrens verrät — er hat die persönliche Bekanntschaft des neuen Gastes noch gar nicht gemacht — kommentiert der Sanatoriumsarzt anerkennend: *„Ich sehe, Sie haben ihn aufs Korn genommen ... und sich den Mann gut angesehen in seiner Eigenart"* (761).

Es ist beruhigend zu hören, daß einer wenigstens, Hans Castorp, sich im ersten Augenblick schon den Mann in seiner Eigenart gut angesehen hat; denn mit ganz wenigen Ausnahmen[18] haben spätere Beobachter in ihm nichts anderes erkennen können als eine „Karikatur"[19], einen schwer lastenden Tyrannen[20], bestenfalls noch einen stupiden alten Herrn, der sich durch ausschweifende Gestikulationen verständlich machen muß, weil er außerstande ist, einen zusammenhängenden Satz zu produzieren, stammelnde Ausrufe, deren explosive Emphase für den Mangel an Sinn aufkommen muß. Nichts im Text rechtfertigt ein solches Mißverständnis — trotz Peeperkorns schwerem und wirrem Zungenschlag. Attribute *so groß wie königlich* (780) oder *biblische Größe* (784) werden ihm in zahlreichen Variationen zugesprochen. Es ist nicht ohne Grund Settembrini, ein keineswegs sehr verläßlicher Zeuge, der von ihm sagt, er sei ein *dummer alter Mann* (807); und es ist Hans Castorp, der mit seiner tiefeinsichtigen Erwiderung die richtige Perspektive herstellt: *„Ach Dummheit! Es gibt so viele verschiedene Arten von Dummheit und die Gescheitheit ist nicht die beste davon."* Es spricht für Hans Castorps wahre Menschlichkeit, daß er des Holländers Größe und Königlichkeit als das erkennt, was sie sind, obwohl er doch der erste sein sollte, dem dummen alten Mann, der ihm Clawdia Chauchat weggenommen hat, übel zu wollen. Er ahnt, wer Peeperkorn ist: Bild von Dionysos und Christus in einem, wofür er das genau passende Wort findet, *ein Mysterium* (808). Dieses Wort wird im Roman mit Bezug auf Peeperkorn noch mehrere Male fallen, und Hans Castorp weiß, daß dieses Mysterium hoch über all der Gescheitheit liegt, die seine dialektischen Lehrmeister Settembrini und Naphta ihm anzubieten haben. Wir könnten Settembrinis boshafte

Bemerkung nicht schlüssiger und beredter zurückweisen als Hans es tut:

... das Körperliche geht ins Geistige über und umgekehrt, und sind nicht zu unterscheiden, und Dummheit und Gescheitheit sind nicht zu unterscheiden, aber die Wirkung ist da, das Dynamische, und wir werden in die Tasche gesteckt. Und dafür ist uns nur ein Wort an die Hand gegeben, und das heißt „Persönlichkeit" ... als ein Mysterium, das über Dummheit und Gescheitheit hinausliegt und um das man sich doch muß kümmern dürfen – teils um ihm nach Möglichkeit auf den Grund zu kommen, und teils, soweit das nicht möglich ist, um sich daran zu erbauen. Und wenn Sie für Werte sind, so ist Persönlichkeit am Ende doch auch ein positiver Wert, wollte ich denken – positiver als Dummheit und Gescheitheit, in höchstem Grade positiv, a b s o l u t (Thomas Manns Sperrung) positiv, wie das Leben, kurzum: ein Lebenswert und ganz danach angetan, sich angelegentlich darum zu kümmern (809).

Offenkundig ist Thomas Mann mit dieser scharfsichtigen Erkenntnis seines *Sorgenkind des Lebens* sehr zufrieden, denn am Ende von Hans Castorps ausführlichem Redefluß bescheinigt er ihm, er habe gesprochen *wie ein Mann*. Mögen Settembrini und Naphta sich auch hinter dem Rücken des dummen alten Holländers über ihn lustig machen, sie wissen genau, daß er sie in die Tasche steckt, daß all ihr Argumentationsfeuerwerk und ihre dialektischen Trapezkünste platt auf den Boden schlagen und sich in blauen Dunst auflösen in der Gegenwart Peeperkorns; denn er ist *wie das Leben* – Präsenz, Dasein, Inkarnation, die Zahl sieben.

Aber weil Inkarnation, können ihm nicht erspart bleiben „das Herzweh und die tausend Stöße, die unsers Fleisches Erbteil". Er ist, so lesen wir gleich zu Beginn, *robust und spärlich* (760), strahlend in majestätischer Erscheinung, und doch sind seine Augen *nur klein und blaß, ohne Farbe geradezu, und es nützt nichts, daß er sie immer aufzureißen sucht*. Mehr als dies: Mynheer Peeperkorn ist krank. Es ist wahrhaft erstaunend, sich über die diagnostische Treffsicherheit der Krankheit, mit der Thomas Mann ihn behaftet hat, klar zu werden: ein *Wechselfieber*, das ständig umschlägt und sich verkehrt. Und wenn wir nun seinen Namen hören, können wir nicht anders, als von so viel Stimmigkeit überwältigt zu sein. Es heißt *Quartanfieber* (769), und sein Verlauf ist der folgende: drei Tage (und drei ist die heilige Zahl) ist Mynheer Peeperkorn völlig heil; am vierten Tag (und vier ist die Zahl des Irdischen und Phänomenalen) überfällt ihn eine Attacke, die die ganze Skala körperlichen Aufruhrs durchläuft – von Schüttelfrost zu glühender Hitze. Natürlich ist dieser medizinische Tatbestand nur eine Metapher für etwas viel tiefer Liegendes. Im-Fleisch-Sein, Inkarnation meint not-

115

wendigerweise die Passion, und wie Brot und Wein ist auch sie die Formel, die Christus und Dionysos in sich beschließt. Peeperkorns lebhafte Beschwörung der Gethsemane-Szene ist kein Zufall, und weniger noch ist sie Blasphemie[21]. Kein Zufall ist die Bezeichnung *der Schmerzensmann* (863), die in unsrer Sprache dem Heiland vorbehalten ist; kein Zufall die herzzerreißende Beschreibung, in der Peeperkorns Gesicht die Züge von Grünewalds Christus am Kreuz annimmt:

Er neigte das Haupt zur Schulter und Brust, die wehen Lippen taten sich voneinander, schlaff-klagend klaffte der Mund, die Nüstern spannten und verbreiterten sich wie in Schmerzen, die Falten der Stirne stiegen und weiteten die Augen zu blassem Leidensblick — ein Bild der Bitternis (819)[22].

Passion aber bedeutet Leiden, im christlichen wie im heidnischen Sinne. Jetzt verstehen wir, warum Peeperkorns Ausruf, den wir oben zitiert haben: *„Meine Herrschaften — heilig! Heilig in jederlei Sinne im christlichen wie im heidnischen"*, genau an der Stelle steht, wo wir ihn fanden. Es war Mynheer Peeperkorns Antwort auf das Elend und leidenschaftliche Weinen des unglücklichen Herrn Wehsal, eines der zwölf „Apostel" beim Abendmahl, der mitten in dem Festessen von so tiefer Wehsal ergriffen wurde, daß dicke Tränen über seine Backen rollten. In diesem Moment wendete sich der Holländer an Mme. Chauchat mit der Aufforderung, sie solle die Tränen des vom Wehsal geschüttelten Herrn Wehsal mit ihrer Serviette abtrocknen. Aber dann besann er sich eines Besseren und hieß sie innehalten, denn die gültige Antwort auf solche Qual kann nur der Ausruf „heilig" sein, der von ihm jetzt innerhalb von drei Zeilen dreimal wiederholt wird: heilig — heilig — heilig, der Lobgesang, mit dem wir das Göttliche begrüßen. Passion also — im doppelten Sinne von Leiden und Leidenschaft — ist das Bindeglied zwischen Christus und Dionysos. Thomas Mann war wohlvertraut mit einem besonderen Aspekt des Dionysos-Mythos, in dem sich auch der heidnische Gott den Stationen eines Passionsweges unterwirft. Es handelt sich um die Geschichte von Dionysos Zagreus, in der der Gott in seinem Kampf gegen die Titanen in Stücke gerissen wird[23], und um die Parallele ganz deckend zu machen, findet sich in einer späteren Überlieferung der Hinweis darauf, daß Dionysos auf einem Esel in diese Schlacht geritten sei[24].

Wir haben den Grund noch nicht erreicht. Trotz numinosem Mysterium und Inkarnation, deren Wesen wir deutlich zu machen suchten, ist Peeperkorn „nur" ein Mensch, und darum muß die Aufgabe, das Göttliche in der Welt der Phänomene zu verkörpern, unerfüllbar bleiben. Wie entschlossen und enthusiastisch auch sein Geist, das Fleisch spielt ihm einen grausamen Streich; es weigert sich, die Forderung zu verwirklichen, die er als seine Pflicht und Sendung empfindet. Kurz gesagt: er ist impotent, impotent im krassest körperlichen Sinne des Wortes. Hier liegt die Erklärung für die Angst und das Entsetzen, die ihn immer wieder befallen. Er kann nicht Gott sein, sondern bestenfalls Gottes Statthalter auf Erden, nicht Christus, sondern Peter — und kann es uns überraschen, daß dies sein Vorname ist? Jetzt verstehen wir auch, warum die Bibelstelle, die von Christi Verlassenheit im Garten Gethsemane berichtet, so fest in Mynheer Peeperkorns Gehirn eingewurzelt ist, daß er sie wörtlich hersagen kann. Es ist seine eigene Geschichte: Christus, der Peter zürnt (und zu Peter spricht Christus ja vor allem), der niemand anders ist als Peeperkorn selbst, sich in Scham und Verzweiflung seines Versagens bewußt, denn der Geist ist willig, aber das Fleisch ist schwach.

Die Not im Garten von Gethsemane hat natürlich ihr genaues heidnisches Gegenstück. Es handelt sich um das Ereignis, das sich am letzten Nachmittag vor Mynheer Peeperkorns Selbstmord vollzieht und das recht eigentlich der Anlaß zu diesem Selbstmord ist: nicht mehr als ein Ausflug zu einem Wasserfall bei Davos, an dem sieben Personen teilnehmen, verteilt auf zwei Wagen, drei in dem einen, vier in dem anderen. Beiläufig notieren wir, daß der Wald, durch den die Sieben zu ihrem Ausflugsziel fahren, krank ist, befallen von einem krebsartigen Fungus, der die Zweige der Nadelbäume bedeckt und sie zu ersticken droht. Auf Mynheer Peeperkorns entschiedenen Wunsch findet das Picknick (Brot und Wein in reicher Auswahl) nicht nur in voller Sicht des Wasserfalls statt, sondern so dicht an dem wilden Katarakt, daß sich jegliche Unterhaltung als unmöglich erweist. Nach der Mahlzeit geschieht etwas Seltsames. Peeperkorn erhebt sich zu seiner ganzen Größe, wendet sich dem donnernden Sturzbach zu (sicher nicht von ungefähr, daß er aus einer Höhe von *wohl sieben oder acht Metern* herniederbraust), und beginnt zu ihm zu sprechen, als versuche er, die entfesselte Gewalt der Natur zu beschwören, deren tumultöses Toben jedes Wort des alten Mannes verschlingt. Die Situation ist eindeutig: Peeperkorn unternimmt es, sich an der hemmungslos entbundenen Elementarmacht zu messen, sie in Bann zu schlagen, jedoch vergeblich. Seine Stimme ertrinkt in dem kosmischen Lärm, und die Gefährten können von seinen Lippen nur die zwei letzten Worte seiner seltsamen Beschwörung ablesen: *perfekt und erledigt* (862 f.). Dieses „erledigt"[25] — es ist vollbracht — ist das letzte Wort, das wir Mynheer Peeperkorn im Roman sprechen hören. Auf dem Rückweg zum Sanatorium herrscht in dem Wagen des Holländers nahezu völliges Schweigen. Kurz nach zwei Uhr morgens ruft die Nachtschwester in Mme. Chauchats Auftrag Hans Castorp in Peeperkorns Zimmer. Er ist tot. In seine Vene hat er sich das virulente, exotische Gift gespritzt, das „Gewürz", das er aus Indien mitgebracht hat.

In der Überzeugung, daß in dem Werk eines großen Dichters selbst das belangloseste Detail von Gewicht ist, sind wir mit dem Tode des Holländers noch nicht am Ende der Peeperkorn-Episode. Nachdem Hofrat Behrens den Selbstmord diagnostiziert hat, winkt er Hans Castorp in eine Ecke des Salons und führt ihm dort mit ausführlich technischen Erklärungen den Mechanismus des Instruments vor, mit dem Peeperkorn seinem Leben ein Ende gesetzt hat. Es ist nicht einfach eine Injektionsspritze, sondern ein höchst komplizierter, fremdartiger Apparat, bestehend aus *Zähnen* (866), die zu äußerster Schärfe zugespitzt sind, und durch die ein haardünner Kanal zu einer *Gummidrüse* führt, die das Gift enthält. Beim *Zubiß* drücken die Zähne, die auf winzige Federn montiert sind, gegen die Gummiblase, die dann die tödliche Flüssigkeit durch die Kanüle nach außen preßt. Zähne – Drüse – Zubiß, wir brauchten kaum Dr. Behrens' ausdrückliche Erklärung, daß dieses Instrument eine genaue mechanische Replika des *Beißzeugs der Brillenschlange* (ebda) ist. Was Peeperkorns Tod verursachte, war also das Werk der Schlange. So ist er denn in letzter Sicht nicht der neue Adam, sondern schlicht und einfach Adam, Fleisch in seiner Schwäche und Sündhaftigkeit – der Mensch, was ja im Hebräischen das Wort Adam auch bedeutet.

Und doch – dies ist seine Größe und Würde – er wollte sein und wanderte durch die Seiten des Romans als mehr denn Adam. Ebenso wie Hans Castorp gleich nach Peeperkorns Erscheinen auf dem Zauberberg sich den neuen Besucher aufs Korn genommen und ihn in seiner Eigenart genau angesehen hatte, so spricht er jetzt am Totenbett des alten Mannes den Nachruf, der in ein paar Worten das Wesen des Holländers zusammenfaßt und eine letzte Bestätigung des Arguments ist, das wir vorgebracht haben: *„er betrachtete sich als Gottes Hochzeitsorgan, müssen Sie wissen"* (867). Wieder erscheinen die Bilder von Christus und Dionysos vereint. Die sexuelle Anspielung, der Hinweis auf den Phallus, das Instrument geschlechtlicher Fruchtbarkeit und darum Triumphfanal der dionysischen Mysterien, ist offenbar. Aber ebenso offenbar ist die Rolle Christi als des himmlischen Bräutigams, durch den sich die menschliche Seele mit Gott vermählt. Es könnte kaum ein geeigneteres Wort geben als das von Thomas Mann gewählte. Es deutet auf den Akt des Vollzugs, im geschlechtlichen Sinne durch den anatomischen

Körperteil, im geistigen Sinne durch das *organon*, das Mittel, in dem die Vereinigung von Mensch und Gott sich ereignet. Das war es, so haben wir zu zeigen unternommen, was Mynheer Peeperkorn zu leben versuchte: die Summe von drei und vier.

Aber Hans Castorp gibt noch mehr als nur ein letztes Wort über die Eigenart des Zauberberggastes der elften Stunde. Er fällt ein Urteil; und viel Verwirrung und Abwegigkeit hätte vermieden werden können, wenn die Leser des Romans bereit gewesen wären, ihm zuzuhören. Dieser göttliche Auftrag, zu dem sich Mynheer Peeperkorn berufen fühlte und den er zu erfüllen nicht imstande war, weil nur Pieter und nicht Christus, wird jetzt von Hans Castorp als *eine königliche Narretei* bezeichnet. Narretei mag es gewesen sein, aber alle Spötter über den alten Holländer innerhalb und außerhalb des Romans sollten zur Kenntnis nehmen, daß es eine königliche Narretei war. Wenn Hans Castorp an dieser Stelle fortfährt, dann macht er unzweideutig klar, daß das Wort „Narretei" keineswegs in einem abschätzigen Sinne zu verstehen sei, sondern als Ausdruck echter Betroffenheit und aufrichtigster Hochachtung: *Wenn man ergriffen ist, hat man den Mut zu Ausdrücken, die kraß und pietätlos klingen, aber feierlicher sind als konzessionierte Andachtsworte.* Peeperkorns „Narretei" ist die seltenste und nobelste[26] — vielleicht sogar die weiseste —, mit der der Mensch behaftet sein kann: die Selbstidentifizierung mit der lebendigen Gegenwart des schöpferisch Göttlichen, *Imitatio Christi et Dionysi*, und darum, wie jede *Imitatio*, voll „spielerisch" parodistischer Züge.

III

Wir sind am Ende der Peeperkorn-Episode. Noch aber bleibt eine wichtige Frage zu stellen und zu beantworten, vielleicht die allerwichtigste. Was bedeutet dieses Erzählstück im Rahmen des Gesamtromans, was bedeutet und bewirkt es für seinen Helden Hans Castorp, den Thomas Mann mit einer deutlichen und spezifischen Absicht auf den Zauberberg entrückt hatte: damit er nämlich durch den Tod den Weg ins Leben fände? Ernsthaft ist behauptet worden: „Peeperkorn ist kein Bildungserlebnis Hans Castorps, jedenfalls nicht mehr in irgendeinem positiven Sinne."[27] Abgesehen von der Tatsache, daß wir wohl fragen müßten, was der Holländer dann eigentlich in einem Roman zu suchen hätte, der als ein Erziehungsexperiment konzipiert und durchgeführt ist, der Text selbst erhärtet unumstößlich, daß die Begegnung zwischen Hans und Mynheer Peeperkorn nicht nur *ein* Bildungserlebnis für den jungen Mann ist, sondern das entscheidendste, dem er auf dem Zauberberg ausgesetzt wird. Es dürfte sich von selbst verstehen, daß die Offenbarung des *Mysteriums der Persönlichkeit* für *ein Sorgenkind des Lebens* nicht ganz ohne Belang ist. Wie Hans Castorp es in seiner Zurückweisung der dumm-gescheiten Bemerkung Settembrinis klar ausgesprochen hat, ist dieses Mysterium eine Konfrontation mit einem Lebenswert, ja in seinen Augen dem *a b s o l u t positiven* Wert. Wir müssen uns Rechenschaft darüber ablegen, was ihm in seiner Begegnung mit dem exotischen Holländer, der *wie das Leben* ist, geschieht.

Zu diesem Zweck gilt es, zu früheren Stadien unseres Romans zurückzukehren, die durch die Ankunft Mynheer Peeperkorns und die Rückkehr seiner Begleiterin, Mme. Chauchat, neu aufleben. Wir werden sehen, daß das Prinzip der Umkehrung und Transposition wieder voll am Werke ist, eine Umkehrung und Vertauschung, die die gewichtigsten Folgen für Hansens Bildungsreise haben werden. Wir müssen die Szene rekapitulieren, in der Hans Castorp das erste Mal während seines siebenjährigen Aufenthalts auf dem Zauberberg mit Mme. Chachat sprach, das erste Mal und das einzige Mal bis zu ihrer Rückkehr als Peeperkorns Geliebte, und, obwohl Thomas Mann mit delikater Diskretion darüber hinweggeht, fraglos sehr viel mehr tat als nur mit ihr zu sprechen. Dieses einschneidende Ereignis vollzog sich, nachdem Hans Castorp genau sieben Monate im Sanatorium zugebracht hatte, zur Fastnacht, d. h. genau vierzig Tage vor Beginn der heiligen, der Karwoche, wenn Christus offen in die Welt tritt, durch die Passion zur Auferstehung, in der sich der Tote als der Lebendige und das Fleisch als der Gott offenbart[28]. Dieser Dienstag vor Aschermittwoch ist nur das nordische Gegenstück zu den dionysischen Mysterien, der Ausbruch der chtonischen Elementarmächte im Menschen. Aber Thomas Mann hat dieses Unterkapitel nicht Fastnacht oder Fasching betitelt. Er überschreibt es „Walpurgisnacht" und unterstreicht damit — von der bewußt Goetheschen Reminiszenz abgesehen — das spezifisch Deutsche in dieser Bacchanal-Variante, so wie es für Hans Castorp durchaus angemessen ist. Und hier finden wir wieder eine höchst ingeniöse, ja fabulöse kabbalistische Vertauschung: Walpurgisnacht ist die Nacht des 30. April, 3—0 vor 4, während Fastnacht 4—0 (Tage) vor 3 ist, dem Beginn der Gotteswoche.

Aber ob nun dionysische Mysterien, Fasching oder Walpurgisnacht, es besteht kein Zweifel, daß die Hölle in Hans Castorp losbricht. Er hat den Tiefpunkt seiner Bildungsreise erreicht, völlige Preisgabe an die Fleischeswollust, an die sündhaft verantwortungslose Freiheit, die Krankheit und Tod gewähren, Herausfall aus der Zivilisation, Abbruch jeder Bande, die ihn an seine Gemeinschaft knüpfen, bis zu dem Punkt, daß er des Mediums verlustig geht, das jeden Menschen zum Mitglied einer natürlichen Gemeinschaft macht, der Sprache, so daß Hans Castorp die denkwürdige Konversation mit Mme. Chauchat in einer fremden Zunge führt, auf französisch, sprach-los in seiner Leidenschaft, die alles überschwemmt. In dem Dialog, den die beiden Liebenden wechseln, wird Mme. Chauchat die „Moralität" dieser völligen Preisgabe formulieren: *Il nous semble qu'il est plus morale de se perdre et même de se laisser dépérir que de se conserver* (473). Es ist das Luzifer-Evangelium, das anarchische Ja-Sagen zu Auflösung, Krankheit und Tod.

Soweit ich sehen kann, hat bisher noch niemand entdeckt, daß Mme. Chauchats Glaubensbekenntnis, das Bekenntnis zur Ent-Individualisierung und De-Formierung (De-Formierung im genauen Wortsinne) wörtlich wiederholt wird, wenn die beiden sich wieder begegnen und zum ersten Mal nach ihrer Rückkehr als Mynheer Peeperkorns Geliebte miteinander sprechen[29]. Nur hat sich die Situation verkehrt: jetzt ist es Hans Castorp, der diese furchtbar inhaltsvollen Worte spricht, und er transponiert sie ins Deutsche: *Es ist übrigens moralischer, sich zu verlieren und selbst zu verderben als sich zu bewahren* (772). Und da die Situation sich so vertauscht hat, dürfen wir vermuten, daß auch der Sinn des Glaubensartikels, so wie Hans Castorp ihn jetzt auf deutsch wiederholt, sich umkehrt. Dem gilt es nachzugehen.

Aber bevor wir es tun können, müssen wir noch zwei höchst aufschlußreiche Details erörtern. Die erste Unterhaltung zwischen Hans und Clawdia nach ihrer Rückkehr als Peeperkorns Reisebegleiterin beginnt mit dem Worte *tot* (ebda), und um auch ganz sicher zu sein, daß wir diesen Einsatz nicht überhören, läßt Thomas Mann Hans Castorp ausdrücklich vermerken, *daß „tot" das erste betonte Wort war, das wieder zwischen ihnen fiel.* „Wieder", so wird uns gesagt, wir müssen es also schon einmal vernommen haben. Wann wurde es gesprochen? Natürlich während der Walpurgisnacht, als Hans Castorps fiebrige französische Phantasien vom Anfang bis zum Ende um nichts anderes kreisten als um den Tod: *le corps, l'amour, la mort, ces trois ne font qu'un* (476). So ist denn diese Konversation nichts anderes als eine Fortsetzung der früheren, nur daß sie jetzt an dem genau entgegengesetzten Pol anlangen wird. Um die Zusammengehörigkeit dieser zwei Kapitel zu unterstreichen, die als Punkt und Kontrapunkt aneinander gebunden sind, hat das eine, „Walpurgisnacht", einen betont deutschen Titel, aber seine Sprache ist französisch; das andere, „Vingt et un", einen betont französischen Titel, aber seine Sprache ist deutsch[30].

Wir dürfen nun zu unserm Schlüsselsatz zurückkehren, zuerst von Mme. Chauchat auf französisch formuliert, jetzt von Hans Castorp auf deutsch wiederholt. Er kann auf zwei völlig verschiedene Weise verstanden werden, und zwar so, daß sich sein Sinn gänzlich umkehrt. Im Französischen, in Mme. Chauchats Version, war er ein todberauschtes Credo, Verlust und Vernichtung des Ich, das sich sinken läßt, buchstäblich aus dem Dasein herausfällt. Im Deutschen, in Hans Castorps Version, proklamiert er das Vergessen des eignen Selbst, der eigenen Triebe und Wünsche, Überwindung des Ich, so daß es in den demütigen Dienst an etwas Höherem treten kann, um an einer Kraft teilzuhaben, die heilig und positiv ist *wie das Leben.* Statt hemmungslos frei zu sein, ohne Bindung an ein anderes und ohne Verantwortung für die Gemeinschaft (so hat es Mme. Chauchat ursprünglich gemeint), kann man ein sich unterordnendes Bindeglied werden, das imstande ist, am Rande der Auflösung sich selbst und die Welt zusammenzuhalten.

Genau dies geschieht mit Hans, genau dazu wird ihn Mynheer Peeperkorns Gegenwart auf dem verzauberten Berg verpflichten und befähigen. Während des Holländers und Mme. Chauchats Aufenthalt engagiert sich Hans Castorp in zwei Unternehmungen — „engagiert" ist ein absichtsvoll gewählter Ausdruck —, die im Grunde ein und dieselbe Unternehmung sind, oder besser eine Unternehmung und ihr umgekehrtes und transponiertes Gegenstück. Sie entsprechen sich aufs genaueste, mit denselben Worten werden sie begleitet und durchgeführt. Die Unternehmung, von der wir reden, ist der Eintritt in ein Bündnis.

Gebunden an die Frau, die er einmal besessen und an die er sich verloren hat bis zum Punkte des Selbstverderbs, auf ihre Wiederkunft wartend und darum unwillens und unfähig, aus dem Totenreich des Zauberbergs auszubrechen, sieht er sie jetzt wiederkehren, einem andern zugehörig. Unnötig auf die Gefühlsstürme einzugehen, die die Umstände ihres Wiedererscheinens in ihm wecken, unnötig, die teils mitleidigen, teils schadenfrohen Kommentare der anderen Sanatoriumsgäste zu registrieren, die sich über den tödlichen Schlag, der ihm versetzt wurde, nur zu offenkundig und wortgewandt im klaren sind. Ein tödlicher Schlag, der ihn niederstrecken müßte! Aber in diesem Augenblick geschieht ein Erstaunliches. Er, besessen von seiner Leidenschaft, wahrhaft hörig, hört nun eine seltsame Frage, eine seltsame Aufforderung, die das Objekt seiner Leidenschaft an ihn stellt: ob er bereit sei, in ein Bündnis zum Schutz des Rivalen einzutreten, der ihn jeder Hoffnung und jedes Glücks beraubt hat. Dem Besessenen wird der Weg geöffnet, seine Besessenheit und seinen Besitzesanspruch abzuwerfen und als ein freier Mann ein Bündnis zu schließen, um dem kranken Gott zu helfen, der, wir wissen es, ebenso *robust* wie *spärlich* ist. Was

Clawdia ihm zumutet, ist in der Tat unvorstellbar: er soll sich bis zum Punkte der Selbstaufgabe verlieren — aber nicht mehr im Dienst an *le corps, l'amour, la mort*, sondern im Dienst am Leben, in der Hilfestellung für einen anderen Menschen, der von rechtswegen sein gehaßtester Feind sein müßte. *„Wollen wir Freundschaft halten, ein Bündnis schließen für ihn, wie man sonst gegen jemand ein Bündnis schließt? Gibst du*[31] *mir darauf die Hand?"* (830) Und das Unvorstellbare wird Wirklichkeit. Hans Castorp willigt ein, dankbar und stolz: *„Das wäre im höchsten Grade linkisch, wenn ich das Anerbieten deiner Freundschaft nicht zu schätzen wüßte, der Freundschaft mit dir für ihn . . ."* (831).

Freundschaft mit dir für ihn — das ist die Formel, die das kranke Preisgegebensein an *le corps, l'amour, la mort* umkehrt und überwindet, nicht mehr Hörigkeit sondern Zusammengehörigkeit. Und in diesem Verzicht erwartet ihn der Sieg. Denn jetzt lesen wir: *Da küßte sie ihn auf den Mund*, das erste und das einzige Mal in unserm Roman, daß wir dieser *Liebesbesiegelung* beiwohnen dürfen. Eine Liebesbesiegelung — und Thomas Mann erörtert im Anschluß daran ausführlich, was dieser Kuß bedeutet und welche Art Liebe hier besiegelt wird. Es ist Eros, Leidenschaft des Fleisches, aber es ist zur gleichen Zeit und im selben Maße *Charitas* (832); und dieses Wort, das wir erwartet haben, steht hier genau an der Stelle, wo es fallen muß. Was sich zwischen den beiden Liebenden vollzieht ist das Ereignis der Zahl sieben: das Göttliche und Numinose wird Fleisch in diesem Kuß auf den Mund. Es ist Hans Castorps Bereitschaft, einem andern zu dienen und als Dienender sich selbst zu erhöhen.

Keinem, der mit Thomas Manns Werk vertraut ist, kann es entgehen, daß wir hier bereits im Zentrum des biblischen Romanwerks stehen, der Geschichte des Menschen auf dem Wege zum „Dritten Humanismus". Dieser dritte Humanismus, menschliches Leben als wahres Leben gelebt, ruht auf der Grundlage einer Reihe von Bündnissen: Abrams und Jaakobs Bündnisse mit Gott, Josephs Bündnisse mit Potiphar und dem Pharao. Sie alle sind Akte der Charitas, Hilfeleistungen, damit der Partner „wirklich" werden kann. Aber sie sind gleichzeitig eminent praktisch und von dieser Welt, gewiegte Operationen, das Höhere zu erhöhen um sich selbst voranzubringen (man kann es auch umkehren). Sie sind das Gesegnetsein von oben und das Gesegnetsein von unten.

Aber wir sind noch nicht in den biblischen Bereichen; wir sind auf dem Zauberberg, obwohl wir Thomas Manns Eingeständnis in seiner „Einleitung zum ‚Zauberberg' für die Princetoner Studenten" nicht leicht nehmen sollten: „Es ist zum Beispiel sehr schwer und fast untunlich, über den ‚Zauberberg' zu sprechen, ohne der Beziehungen zu gedenken, die er . . . zu den Joseph-Romanen unterhält" (XI, 603 f.). Da die ganze Peeperkorn-Episode unter dem Gesetz der Vertauschung und Umkehrung steht, muß ein zweites Bündnis geschlossen werden, dasselbe aber mit vertauschten Partnern, der Pakt zwischen Hans und Mynheer Peeperkorn. Wieder scheint niemand die genaue Entsprechung dieser beiden „Unternehmungen" gemerkt zu haben, die Wiederholung der gleichen begleitenden Worte, der gleichen Gesten, des gleichen Resultats. Auf seinem Krankenbett — das Quartanfieber hatte ihn wieder geschüttelt und grad freigegeben — bietet der Holländer Hans das „Du" an und den *Bruderbund, einen Bruderbund, wie man ihn sonst wohl gegen Dritte, gegen die Welt, gegen jemanden schließt und den wir im Gefühl für jemanden schließen wollen* (849). Hans Castorp nimmt das Angebot dankbar und liebevoll an. Dann schickt ihn Peeperkorn aus dem Zimmer, denn der junge Mann soll nicht zugegen sein, wenn die, für die sie gerade das Bündnis geschlossen haben, aus dem Dorf zurückkommt. Und jetzt fällt das gewichtige, das selige und beseeligende Wort. Der angeblich *dumme alte Mann,* diese „Karikatur" weiß, daß Clawdia jeden Augenblick eintreten wird. Aber er erwähnt ihren Namen nicht. Er nennt sie *unsere Geliebte* (850). Freundschaft, Bruderbund und Liebe (als Eros und Charitas) — das sind die Erfahrungen und Ereignisse, die Mynheer Peeperkorns Erscheinen an Hans Castorp heranträgt. Und ich möchte wohl glauben, daß sie keine nebensächlichen „Bildungserlebnisse" darstellen.

Die Entsprechung der beiden Bündnisse ist komplett. Und ein unbedeutsam scheinendes Detail kann diese Komplettheit noch verdeutlichen. Bevor Clawdia das Paktangebot macht, ergreift sie Hansens Hand, nein, nicht seine Hand, sondern seine Handknöchel und spielt sanft mit seinen Fingern. Und genau dasselbe vollzieht sich, bevor Peeperkorn Hans Castorp den Bruderbund anbietet. Wenn der Holländer seinen Arm ausstreckt, um den künftigen „Bruder" zu berühren, denkt Hans Castorp: *Jetzt faßt er mich am Handgelenk* (842). Zehn Jahre später wird in einem andern Werk Thomas Manns diese unscheinbare Geste wiederkehren. Wieder wird sie zwei Brüder vereinen, diesmal Brüder im Fleisch. Wenn der junge Joseph mit Klein-Benjamin seine Spaziergänge durch die Landschaft macht, um dem Buben die lebendigen Dinge, die sie umgeben, zu weisen, hält er ihn am Handgelenk und läßt die kindliche Patsche hin und her schlenkern. Was bedeutet diese Geste, hier ebenso wie dort? Was sie bietet ist Führung, aber eine Führung, die von des Bruders Hand nicht Besitz ergreift. Es ist die zärtlichste und taktvollste Berührung. Die Hand des Erfaßten bleibt frei, sich nach Belieben zu bewegen, nicht ergriffen, nicht gezwungen, ihrem eignen Willen gehorchend. Und doch ist es Führung, liebevoll, freundschaftlich, brüderlich.

Dies also das Lebens- und Bildungserlebnis, das Hans Castorp in seiner Begegnung mit Peekerkorn und der wiedergekehrten Geliebten erfährt. Und diese Begegnung, die als schmerzlichste Passion (in des Wortes doppelter Bedeutung) begann, verwandelt sich in die reinste Erfüllung. Jahre mußte er warten, bis Clawdia zurückkam. Nun ist sie da, die Geliebte eines anderen. Alles scheint verloren. Aber in einem Umschlag, der uns jetzt mehr als vertraut ist: alles ist gewonnen. Wenn sie ihm das Bündnis zum Schutze Peeperkorns vorschlägt, legt sie ein Geständnis ab, das beseeligender ist als alle Beseeligungen von *le corps, l'amour, la mort*. Sie kam zurück, so bekennt sie jetzt, mit Peeperkorn — zu ihm. Und sie hatte einen guten Grund, warum sie so ausdrücklich und absichtsvoll zu ihm zurückkehren mußte: *„Ich wüßte gern einen guten Menschen an meiner Seite"* (831).

Ein guter Mensch — es ist das letzte und bestimmt das gewichtigste Wort über unser *Sorgenkind des Lebens*. Und jetzt verstehen wir die volle Bedeutung und den integralen Zusammenhang der Peeperkorn-Episode. Es gab einen Augenblick in Hans Castorps Zauberberg-Existenz, wo er dem Tode so nah war, daß er den Fuß schon auf die Schwelle gesetzt hatte. Es geschah in dem Unterkapitel, das „Schnee" überschrieben ist, in dem er sich dem Nichts gegenüber fand, die ganze Welt ausgewischt, verschlungen vom *Chaos von weißer Finsternis* (652)[32]. Hier, nachdem er sich dem Schrecken des Verlusts im Nichts ausgesetzt sah, nachdem er durch seine Visionen in die Antinomien menschlichen Daseins eingeweiht wurde, dämmerte ihm ein Wissen dessen auf, was der Mensch eigentlich sei — und was seine Würde: *Herr der Gegensätze, . . . vornehmer als der Tod, zu vornehm für diesen, das ist die Freiheit seines Kopfes. Vornehmer als das Leben, zu vornehm für dieses, das ist die Frömmigkeit in seinem Herzen* (685). Und am Ende seiner träumerischen, todesbeschatteten Grübeleien erkannte er plötzlich, was er, als Mensch, zu sein habe: *Ich will gut sein. Ich will dem Tode keine Herrschaft einräumen über meine Gedanken*. Ein paar Zeilen später greift Thomas Mann Hans Castorps Entschluß wörtlich auf und erhebt ihn zur Maxime für den Menschen überhaupt. Es ist im ganzen Roman der einzige Satz, der in Kursivdruck erscheint: *Der Mensch soll um der Güte und Liebe willen dem Tode keine Herrschaft einräumen über seine Gedanken. Und damit wach ich auf . . . Denn damit hab' ich zu Ende geträumt und recht zum Ziele* (686).

Er ist ans Ende seines Traums gekommen und hat das Ziel gesichtet: Güte und Liebe, Charitas und Eros, die einzigen Mächte, die den Tod zu bannen vermögen, das Irdische und göttlich Geistige in Konjunktion, die Zahl sieben. Die Peeperkorn-Episode ist der Beweis, daß Hans Castorp seine Traumlektion, die ihm am Rande des Todes vermittelt wurde, gut gelernt hat. Was ihm und mit ihm in den vier Kapiteln, in denen sich Peeperkorns Leben und Scheiden vollzieht, geschieht, ist die Wirklichkeitsumsetzung jener Erkenntnis, die wie ein Blitz im Kapitel „Schnee" in ihm einschlug[33]. Sie wird über dem Roman bis zu seinem Ende schweben; ihr wird in des Buches letztem Satze nachgefragt werden in schwer beunruhigter und vage hoffnungsvoller Zaghaftigkeit, zu der Zeit, da der „Donnerschlag" ertönt und der Totentanz die ganze Welt ergriffen hat: *Wird auch aus diesem Weltfest des Todes, auch aus der schlimmen Fieberbrunst, die rings den regnerischen Abendhimmel entzündet, einmal die Liebe steigen* (994)?

Es ist die Art Frage, auf die Thomas Mann in einem späteren Werk, in „Joseph der Ernährer", eine tastend zuversichtliche Antwort geben wird: „Das sind so Fragen, wie das Leben sie stellt. Man kann sie im Ernst nicht beantworten. Nur in Heiterkeit kann sich der Menschengeist aufheben über sie, daß er vielleicht mit innigem Spaß über das Antwortlose Gott selbst, den gewaltigen Antwortlosen, zum Lächeln bringe" (V, 1597). Der Menschengeist, aufgehoben vielleicht bis auf den Gipfel eines Zauberbergs, hat einen mächtigen Verbündeten, einen „Weggenossen", den Dichter: ihn, dem mitten in unserm Jammertal der Trost der Träume geschenkt ward; und das Spiel, das die Passion unserer Existenz leicht und humorvoll macht; und die Form, die durch eine messende und maßsetzende Zahl Ordnung in das Chaos des Lebens bringt.

Coda:

EINE BRIEF-INTERPRETATION

„Wortkunst ohne Namen" — das war vor einem Menschenalter und mehr ein beliebtes Schlagwort unter Deutschlehrern und Germanisten, die sich damit zu der Überzeugung bekannten, es müsse möglich sein, ein anonymes sprachliches Gebilde so zu analysieren, daß seine unverwechselbare Einmaligkeit völlig durchsichtig werde und den Namen seines geheimgehaltenen Autors verraten müsse. Es war dieser Glaube, der in der Germanistik zur „werkimmanenten Interpretation" führte, die es für illegitim erklärte, bei der Untersuchung eines literarischen Textes Werkfremdes heranzuziehen, Biographisches etwa oder Ideologisches, das dem Text selbst nicht innewohne, sondern von außen an ihn herangetragen werde. Nur das genaue Hinhören auf das Sprachgebilde erschließe sein Geheimnis, — ja, am besten wäre es, wenn man gar nicht wüßte, wer der Verfasser sei, damit man nicht aus diesem vorgefaßten Wissen Schlüsse zöge, die sich aus dem Text selber nicht ergeben. Nur wenn man den Blick ausschließlich auf das Sprachmaterial selber richte, könne man sich freihalten für sein Eigenes und Eigentümliches.
Nun ist die Erforschung einer Wortkunst ohne Namen, so auf die Spitze getrieben, nicht frei von spielerischen Elementen, von einer Scherzhaftigkeit, die leicht genug zur Willkür und Verantwortungslosigkeit führen kann. Aber Gefahren liegen in jeder Methode begründet, und die Scherzhaftigkeit, wenn sie von Anfang an freimütig zugegeben wird, scheint mir der interpretatorischen Fehltritte erträglichster, weil er, auch wenn er zu einem fragwürdigen Resultat führt, das Gefühl für jede sprachliche Nuance, jede syntaktische Führung, jede strukturelle Anordnung und Wendung schärft und wachhält.
In diesem Sinne und mit allen angedeuteten Vorbehalten wollen wir einen Brieftext lesen, der sich in einem Bändchen befindet, das Probestellen ohne Autorennamen bietet, damit der Bemühte sein Stilgefühl daran wetze. Es handelt sich dabei um ein kleines Heftchen, mehr als ein Menschenalter zurückliegend, das der Sprachforscher Otto von Greyerz zusammengestellt hat und das im Titel schon verrät, welchem Zwecke es dient: „Stilkritische Übungen." Um eine solche „Übung" soll es sich hier handeln, wobei das scherzhaft

Problematische von allem Anfang an zugegeben sei. Denn der Text, den Greyerz vorlegt, ist nicht der genaue Originaltext des Briefes, so daß wir uns dem Vorwurf aussetzen, aus einem „falschen" Text gültige Schlüsse ziehen zu wollen. Aber die Abweichungen vom Original sind nicht so schwerwiegend, daß unser Spiel sich als Falschspiel entlarven müsse. Um aber dem Leser die Kontrolle zu ermöglichen, drucken wir im Anhang den wissenschaftlich gesicherten Wortlaut ab, freilich mit der Bitte an den Leser, den Anhang wirklich als An-hang zu belassen und ihn nicht vorschnell zum Vergleich heranzuziehen, weil sonst das Scherzhafte und Spannende, das die „Übung" haben möchte, verloren gehen müßte. Bei Greyerz also lautete der Brief so:

Allerliebstes Bäsle, Häsle!

1 Ich habe dero mir so wertes Schreiben richtig erhalten-fal-
2 ten, und daraus ersehen-drehen, daß der Herr Vetter-Retter und
3 die Frau Bas-Has, und Sie wie recht wohl auf sind-Rind; wir
4 sind auch Gott Lob und Dank recht gesund-Hund. Ich habe heute
5 den Brief-schief von meinem Papa-haha! auch richtig in meine
6 Klauen bekommen-strommen. Ich hoffe, Sie werden auch meinen
7 Brief-trief, welchen ich Ihnen aus Mannheim geschrieben, er-
8 halten haben-schaben. Desto besser, besser desto! Nun aber
9 etwas Gescheites. Mir ist sehr leid, daß der Herr Prälat-Salat
10 schon wieder vom Schlag getroffen worden ist-fist, doch hoffe
11 ich, mit der Hilfe Gottes wird es von keinen Folgen sein-Schwein.
12 Sie schreiben mir-Stier, daß Sie Ihr Versprechen, welches Sie
13 mir vor meiner Abreise von Augsburg getan haben, halten wer-
14 den, und das bald-kalt; nu, das wird mich gewiß freuen. Sie
15 schreiben noch ferners, ja, Sie lassen sich heraus, Sie geben
16 sich bloß, Sie lassen sich verlauten, Sie machen mir zu
17 wissen, Sie erklären mir, Sie geben deutlich am Tage, Sie ver-
18 langen, Sie begehren, Sie wünschen, Sie wollen, Sie mögen, Sie
19 befehlen, Sie deuten mir an, Sie benachrichtigen mir, Sie
20 machen mir kund, daß ich Ihnen auch mein Porträt schicken
21 soll-scholl. Eh bien, ich werde es Ihnen gewiß schicken-schlicken.
22 Ob Sie mich noch lieb haben? Das glaube ich. Desto besser, bes-
23 ser desto! Ja, so geht es auf dieser Welt, der eine hat den
24 Beutel, der andere hat das Geld; mit wem halten Sie es? mit
25 mir, nicht wahr? Das glaube ich. Jetzt wünsche ich eine gute
26 Nacht.

Privatester, belangloser Schwatz: man dankt für einen Brief, man freut sich, daß alle ringsherum gesund und fidel sind und daß die lieben Familienangehörigen munter hin- und herschreiben, man verspricht bei nächster Gelegenheit ein Konterfei, und man schließt mit der vergnügten Gewißheit, halb kokett halb galant, daß die Briefempfängerin dem Schreiber herzlich zugetan ist. Man ist in allerbester Stimmung; was macht es schon, daß der Geldbeutel chronisch leer ist?; und auch den letzten Schlaganfall des verehrten Herrn Prälaten will man nicht gar zu ernst nehmen: Hochwürden werden sich schon wieder erholen.

So recht nach Jux und Scherz ist dem Schreiber zumut, und so verwandelt er denn auch das Medium seiner Mitteilung, die Sprache, in einen Jux und Scherz. Ausgelassen und dekorativ werden ihr Lichter aufgesetzt, sie reimt sich nach Herzenslust, und die Wörter fangen an zu kichern, weil sie plötzlich, ganz ohne Sinn und Verstand und nur weil's so hochvergnüglich ist, einen Gegenlaut aus sich entlassen. Aber wenn's auch nicht mehr ist als ein Witz, gibt er uns nicht einen Fingerzeig? Sprache wird hier manipuliert als ein Tongebilde; immer wieder befreit sich das Wort von der Kette, die es an seine Bedeutung bindet, und offenbart sich als reiner Klang, der, jenseits aller Bedeutung, im Reim sein Echo produziert. Soviel also läßt sich über den Schreiber jetzt schon sagen: wenn er Worte bildet, ja wenn er sie lautlos auf einem Blatt fixiert, dann hört er sie als Ton, der, losgelöst von seinem Charakter als Sinnträger, eigenständig wird und willkürlich Mit- und Gegentöne erzeugt, so unverantwortlich frei, daß dieser Mit- und Gegenton gelegentlich dem Raum der Sprache überhaupt entgleitet, sich jedem Bedeuten entzieht und in sinn-losem Klang mündet (*bekommen-strommen; ist-fist; schicken-schlicken;* vielleicht auch *Brief-trief* und *soll-scholl*). Das sensorische Zentrum des Schreibers also liegt im Klanglichen, der Schrift-Satz, den er verfaßt, verwandelt sich ihm zum Ton-Satz — sollte es sich um einen Musiker handeln?

Willkürlich, so sagten wir, erzeugen sich Mit- und Gegentöne. Aber wir müssen uns korrigieren; denn ganz so willkürlich geht es in dem unbekümmert vergnüglichen Laut- und Reimspiel durchaus nicht zu. Dem ganzen klanglichen Jux wohnt eine Logik inne, die ihn steuert und dem Gesetz thematischer und kompositorischer Bindung unterwirft. Gar so unsinnig, wie es scheinen mochte, ist der Unsinn nämlich nicht. Gelegentlich, wenn freilich auch nur selten, sind Wort und Reimwort ganz sinnvoll aneinander geknüpft. Denn daß die herzliche Anrede an das allerliebste *Bäsle* den Kosenamen *Häsle* nach sich zieht, ist gewiß nicht einfach von ungefähr, ebenso wie der Bäsle-Brief, eben *erhalten*, ganz folgerichtig die Vorstellung vom *Falten* aufkommen läßt. Nicht weniger sinnvoll ist die Koppelung *Vetter-Retter;* und die Verbindung von Papas *Brief* mit *schief* mag gar einen Sinn vermuten lassen, den wir nicht dem Schreiben sondern nur der Reimerei entnehmen können: daß nämlich vielleicht Papas Brief bei dem Herrn Sohn nicht alles im Lot gefunden hat, wobei denn das dem *Papa* angehängte *haha!* als Unwillensausruf des alten Herrn zu nehmen wäre.

Das ist natürlich nicht mehr als unbeweisbare Spekulation. Unleugbar aber ist, daß die eingeworfenen Reimwörter sich immer wieder einem Thema einfügen, das mit der Anrede-Klausel angeschlagen wurde, und das nun in den verschiedensten Varianten durchgespielt wird. Der Kosename *Häsle* hatte die Richtung auf das Tierreich gewiesen, und diesem Hinweis getreu spaziert der Brief durch eine wahre Menagerie: von *Häsle* zu *Has* und *Rind,* von *Hund* zu *Schwein* und *Stier.* Wobei vielleicht noch zu bemerken wäre, daß auch in der Hierarchie dieses zoologischen Gartens eine gewisse Ordnung herrscht: mit dem allerliebsten *Häsle* fängt es an, um mit dem wild ungetümen *Stier* zu enden. Vor allem aber ist festzuhalten, daß diese Tier-Einsprengsel nicht einfach beliebig über den Brief verstreut sind, sondern mit kompositorischem Genie als Strukturelemente eingebaut werden. Das Billet-doux ist in vier deutlich voneinander abgesetzte Teile gegliedert — darüber später mehr —, und in jedem dieser Teile hat der kleine Tier-Zirkus einen präzis ausgewogenen Platz. Oder er hat nach genau geplanter Anlage keinen Platz mehr. Aus dem Schlußabschnitt nämlich, der mit der Frage, ob die Adressatin ihn wohl noch lieb habe, beginnt (Z. 22), ist er verschwunden, so wie die ganze närrische Reimspielerei hier verschwunden ist. Der Echo-Effekt hat sich verloren und mit ihm die Tierbevölkerung, kompositorisch ganz stimmig, weil ja in der ersten Briefzeile, in der Anrede, Lautwitz und Tier-Kreis *(Bäsle, Häsle)* als einander zugehörig etabliert waren.

Aber in den ersten drei Teilen des Briefes darf das Reimvergnügen sein Spiel treiben, ein Spiel freilich, dem seine genauen Regeln vorgeschrieben sind. Im ersten Absatz — er reicht deutlich bis zu des Schreibers Selbstermahnung, daß es nun an der Zeit sei, von Gescheiterem zu reden (Z. 8) — wird der Echo-Witz vom Anfang bis zum Ende durchgehalten — elfmal erscheint er —, aber nur in der ersten Absatzhälfte ist er mit Zoologie gekoppelt *(Has-Rind-Hund),* gegen Ende zu löst sich der Reim von der Tier-Thematik. Im zweiten Briefteil, dem traurigen Kapitel von Seiner schlagflüssigen Hochwürden Mißgeschick (Z. 8—14), bleiben die Lautkapriolen erhalten, aber ihre Zahl sinkt jetzt auf nur fünf herab, obwohl der Abschnitt nur unbeträchtlich kürzer ist als der vorangegangene, und die Verbindung mit der Tier-Welt *(Schwein-Stier)* taucht jetzt — im Gegensatz zum ersten Briefteil — ausschließlich in der zweiten Hälfte auf. Der dritte Briefabschnitt, die Antwort auf die Bitte um des Schreibers Porträt (Z.14—21), scheint den Reimwitz überhaupt fallen gelassen zu haben; aber dann, ganz am Schluß, bringt er sich doch wieder in Erinnerung. Freilich ist jetzt das bewährte Kompositionselement auf nur zwei Proben *(scholl-schlicken)* zusammengeschrumpft, die überdies ihre Verbindung mit dem Thema: Fauna ganz gelöst haben, ja darüber hinaus als bedeutungslose Unsinnswörter jeden Bezug zu einem „Thema" aufgeben und damit gewissermaßen das Kompositionsprinzip des Gegenlautes „rein", d. h. als pur lautliches Phänomen vorführen. Ganz folgerichtig dann, daß nach dem Gesetz der abnehmenden Skala das Reimspiel aus dem letzten Briefteil (Z.22—26) völlig verschwunden ist.

Nun könnte man einwenden: der Witz versiegt, weil er sich erschöpft und totgelaufen hat. Aber dem steht doch unsere Beobachtung entgegen, daß die Reimspielerei in den ersten drei Abschnitten ganz „ordnungsgemäß" durchgeführt wird, in bestimmter zahlenmäßiger Gliederung gestuft, placiert an vorberechneter Stelle und verbunden mit einem immer wieder erscheinenden Themenkreis, der nun aber auch seinen festen Platz in der Struktur des Briefes und seiner Unterteile hat. Damit aber wird das mutwillige Lautspiel zu einem formenden Element, es handelt sich nicht nur um einen akustischen Witz, sondern um Komposition. Dem Verfasser des Briefes verwandelt sich der *Schrift*satz nicht nur in einen *Ton*satz, sondern in einen Ton*satz*. Er spielt nicht willkürlich mit Lauteffekten, sondern er setzt und plant sie als ein formkonstituierendes Phänomen. Wir vermuteten, er sei ein musikalisch entzündbarer Mensch; wir vermuten jetzt mehr: er ist ein Komponist.

Was er produziert, ist nicht Klangjux sondern Klangordnung. Es mag sich lohnen zu prüfen, ob in dem Klangcharakter selbst, den die Reimerei zur Schau stellt, ein Kompositionsprinzip zu entdecken ist. Fallen die Laute wie's gerade so kommt, oder sind sie in bestimmten und bestimmbaren Kadenzen zugeordnet? Zu halten haben wir uns also an die Vokale der Echo-Wörter, weil ja sie es sind, die die Tonqualität bestimmen. Wir sehen ab von dem dritten Briefteil (Z.14—21), da dort das Reimspiel, auf nur zwei Vorkommnisse reduziert, so dünn geworden ist, daß sich keine Schlüsse ziehen lassen. Aber wie steht es mit den beiden anderen Briefteilen? Hier die vokalischen Reimträger, elf an der Zahl, des ersten Abschnitts: a-e-e-a-i-u-i-a-o-i-a. Es fällt auf: die gesamte Vokalskala von a bis u wird durchgespielt; ja mehr noch: die Vokale erscheinen in der uns vertrauten Reihenfolge, wobei freilich das o seinen Platz mit dem u getauscht hat, eine unbeträchtliche Verschiebung, die wir schon deshalb in Kauf nehmen wollen, weil dadurch dem letzten und dunkelsten Laut der Vokallitanei die Ehre zuteil wird, genau in die Mitte der Elfersequenz zu rücken, mit fünf Tönen, die ihm vorangehen, und mit fünf, die ihm folgen. Aber wichtiger als die Gruppierung 5-1-5, die durch das verschobene u akzentuiert wird, ist eine andere, die Anordnung 4-3-4, die nun freilich eine schöne „Komposition" zur Schau stellt: aeea-iuai-aoia; denn wenn auch die letzte Vierergruppe ein nicht so strenges System erkennen läßt wie die anderen beiden Sequenzen, das kompositorische Grundprinzip, daß ein Vokal, im ersten und letzten Falle das a, im mittleren das i, seine Vokalgeschwister umschließt, ist klar erkennbar. Wobei denn noch zu bemerken wäre, daß das a, der erste Ton der Vokalskala, den ganzen Klingklang wie einen Rahmen zusammenhält. Sollten wir noch Zweifel haben, so genügt ein Blick auf die Vokalsequenz des zweiten Briefteils (Z. 8—14), um sie zu zerstreuen. Was sich uns hier darbietet, ist die Abfolge: a-i-ei-i-a, eine Komposition von unübertrefflicher Regelmäßigkeit, ja man könnte sich einen „strengeren Satz" kaum denken. Wieder umschließt ein Vokal, der erste, den der vorausgegangene Briefteil bereits als Rahmenelement befestigt hat, das ganze Klanggebilde; wieder erscheint das i, das sich schon im ersten Briefabschnitt als weiterer Umarmungslaut bewährt hatte (i-u-i), als innerer Rahmen (i-ei-i); wieder ist die Mitte der Gesamtsequenz klar akzentuiert durch einen neuen Ton, der hier noch besonders raffiniert wirkt, weil er nichts anderes ist als die Summe aus den ersten beiden Tönen (ei = a + i). Man kann wirklich nur staunen: wenn sich dieser Briefschreiber kurz vor dem Schlafengehen hinsetzt, um ein völlig belangloses Zettelchen an sein Bäsle-Häsle herunterzufetzen, dann entsteht ihm unter den Händen eine kleine musikalisch streng gefügte Komposition.

Ich hoffe, wir haben uns nach all dem das Recht erworben, von dem Brief zu sprechen, als unterstünde er den Gesetzen eines musikalischen Gebildes. Und so werden wir auch jetzt, wenn wir uns dem Aufbau des Briefes zuwenden, nicht mehr von Teilen, Absätzen, Abschnitten reden, sondern von dem, was ihnen in einem kompositorischen Gefüge entspricht: dem Satz. Daß es deren vier sind, haben wir schon festgestellt. Vier Sätze aber, wir wissen es, ist die Form der klassischen Sonate; von klassischer Symphonie, die ja nichts anderes ist als die instrumental ausgebaute Sonate, zu sprechen, hieße wohl im Hinblick auf das Bäsle-Häsle-Geplauder den Mund mächtig vollnehmen. Eine Sonate also, und ihre vier Sätze heben sich durch die behandelten Themen deutlich voneinander ab. Erster Satz: Bestätigung diverser Briefempfänge und

Familienbericht; zweiter Satz: Augsburger Ereignisse, des Herrn Prälaten Unpäßlichkeit und ein vor der Abreise gegebenes Versprechen; dritter Satz: das erbetene Porträt; vierter Satz: Liebesversicherung und gute Nacht. Wollten wir es auf die Spitze treiben, dann ließe sich noch vermerken, daß jeder Satz — mit Ausnahme des dritten — genau nach der Vorschrift der klassischen Sonate zwei Themen hat. Aber wichtiger als dies: jeder Satz ist, wie sich's gehört, durch ein festes Finale, ein summa summarum gewissermaßen, abgeschlossen, mit jener kräftigen Versicherung: jetzt ist's aus, die bei Sonaten- und Symphonien-Aufführungen ein ungeschultes Publikum so oft an falscher Stelle zu verfrühtem Beifall verführt. Erste Satzschluß-Floskel: *Desto besser, besser desto!;* zweite Satzschluß-Floskel: *nu, das wird mich gewiß freuen;* dritte Satzschluß-Floskel: *Eh bien, ich werde es Ihnen gewiß schicken;* vierte Satzschluß-Floskel und großes Finale: *Jetzt wünsche ich eine gute Nacht. Nu — eh bien — jetzt:* was sind sie anderes als Fazit und Punktum? (Einem pp. publico wird höflichst bedeutet, sich zwischen den Sätzen des Beifalls zu enthalten!)

Wir haben dargetan, was die einzelnen Sätze, als Sätze einer Sonate, miteinander gemein haben. Was aber unterscheidet sie voneinander? Was ist jedes einzelnen eigentümlicher Rhythmus, die Tempo-Bezeichnung sozusagen? Erster Satz: Durch die zahlreichen Reim-Einsprengsel werden die Sätze in kleine Gruppen zerlegt, deren Zusammengehörigkeit nur dadurch deutlich gemacht werden kann, daß man sie schnell aufeinander folgen läßt. Das Echo, das den Rhythmus punktiert, muß im Fluge genommen werden, ein rascher Einwurf, über den der Sprachduktus sich eilends hinwegschwingt. Man mache an einer beliebigen Stelle die Probe: *daraus ersehen (drehen), daß der Herr Vetter (Retter) und die Frau Bas (Has) und Sie (wie recht: Einwurf!) wohlauf sind.* Es geht hurtig zu, von einer weitausschwingenden Atemlinie kann nicht die Rede sein. Wenn wir das Tempo markieren wollen, dann bietet sich als selbstverständlich an: allegro.

Zweiter Satz: Schon vom Erzählinhalt her ist dieser Teil als Kontrast zum ersten gemeint. Nach all der vorangegangenen Narretei will uns der Schreiber jetzt gescheit kommen, nach der fröhlichen Unbekümmertheit also seriös und ernst (ins Italienische übersetzt: grave). Freilich, mit der Ernsthaftigkeit ist es, genau besehen, nicht so weit her. Das Thema, das arge Mißgeschick, das Hochwürden befallen hat, ist allerdings ernst genug. Aber unernster kann man schwerlich reagieren, wenn man dem armen Herrn Prälaten einen *Salat* anhängt und all die frommen Wünsche so drastisch in *Schwein* ausklingen läßt. Wenn der Schreiber sich also gesammelt und besonnen geben will, dann bezieht sich das kaum auf das zu Berichtende. Das „gescheit" ist nichts anderes als ein Schlüssel für eine kontrastierende Wendung der Stimmführung. Und die Stimmführung, die rhythmische Bewegung ist allerdings neu und kontrastierend. Statt der elf Echo-Unterbrechungen, die den ersten Satz so holterdipolter machten, jetzt nur fünf, und fast alle sind sie so gesetzt, daß sie am Ende eines syntaktischen Gefüges zu stehen kommen, also nicht als spaltender Einwurf wirken, sondern als ausruhende Fermate. Der optische Eindruck genügt, uns zu überzeugen. Da läuft der letzte Satz weitgeschwungen über zwei volle Zeilen (*daß Sie ihr Versprechen, das Sie mir vor meiner Abreise von Augsburg getan haben, halten werden, und das bald*), ohne daß ein einziges Mal der unterbrechende Echo-Effekt sich dazwischenschiebt. Nichts Vergleichbares wird man in dem Allegro-Satz finden. Stimmführung und Atem sind hier gemächlich und gelassen, die Tempo-Markierung eindeutig: adagio.

Wir stellen den dritten Satz vorerst zurück und wenden uns zum vierten: Daß er als Schlußsatz der kleinen Sonate kürzer ist als die vorangegangenen, zusammengefaßt und zusammenfassend, paßt ganz ins Bild. Und daß dieser Satz zusammenfaßt und rundet, daß er das kleine Brief-Geplänkel dadurch wirklich zu einer vollendeten Kom-position macht, ist überhaupt das Entscheidende an ihm. „Themen" werden aufgegriffen. Was einmal am Anfang erschien, erscheint jetzt wieder, und damit schwingt und schließt sich der Bogen von einem Ecksatz zum andern, ganz so wie strengste Sonaten-Form es verlangt. Da ist zunächst das Unsinnsätzchen: *Desto besser, besser desto!* Es setzte den Schlußpunkt unter den ersten Satz und jetzt, am Eingang des letzten, taucht es wieder auf, eine Kette, die sich fügt und rundet, die Anfang und Ende verbindet, ganz dem Gesetz der klassischen Sonate getreu, daß erster und letzter Satz durch die gleiche Tonart aneinander gebunden sein müssen. Aber bemerkenswerter noch ist ein anderes: Wir hatten schon erwähnt, daß die echohafte Reimerei, die die eigentliche Struktur-Pointe des Briefchens darstellt, aus dem letzten Satz verschwunden ist. Sie ist es — sie ist es auch wieder nicht. Gewiß, das närrische Reim-Gestotter hat aufgehört, aber Prinzip und Thema: „Reim" werden nicht nur aufrecht erhalten, sondern gewinnen jetzt ihren Sinn und ihren Gipfel. Denn was bisher in dem Brief bei aller Reimerei „ungereimt" war, fügt sich jetzt zu „gereimter" Aussage, zu einem kleinen Verschen, das nicht nur Sinn und Verstand hat, sondern darüber hinaus eine allgemeine Lebensweisheit vermitteln kann: *Ja, so geht es auf dieser Welt, der eine hat den Beutel, der andere hat das Geld.* Was hier, musikalisch gesprochen, geschieht, ist dies: ein Thema, das rudimentär und fragmentär aufblitzte, nicht mehr als neckender und neckischer Laut, wird jetzt heimgeholt in eine geschlossene und durchgeführte Melodie. Oder anders ausgedrückt: eine Störung (denn was anders waren denn die eingeworfenen Echo-Brocken?), eine Dissonanz im Sprachleib wird aufgelöst in einen Akkord. Nach all der Profusion und Konfusion von Tönen, so verkündet der letzte Satz, haben Töne plötzlich „Sinn". Und damit könnten wir, aufs Ganze gesehen, in dem närrischen Brieflein an das Bäsle Häsle das Lebens- und Wesensbekenntnis des Komponisten überhaupt, jedes Komponisten, erkennen: was ich euch gebe, sind nichts anderes als Laute, einen hier, einen dort, hervorgezaubert, wie der akustische Reiz es gerade will; aber wenn ich ans Ende komme, wenn ich fertig bin mit meinem Klingklang und meiner Tonspielerei, dann habe ich euch ein „sinnvolles" Klanggefüge geschenkt, ein Wahres und Gesetzmäßiges, das in dieser unsrer Welt gültig ist.

Wir laufen Gefahr, uns im Gefilde des Metaphysischen zu verlieren. Darum zurück zum Meßbaren und Berechenbaren, zum Rhythmus des letzten Satzes. Er überstürzt sich förmlich, ans Ende zu kommen: ganz kurze Sätzchen, hastig vorgebrachte Fragen, die sich schnell beantworten und damit die Spanne zwischen Anruf und Gegenruf auf ein Minimum verkürzen. Man höre nur: *mit wem halten Sie es? mit mir, nicht wahr? Das glaube ich.* So eilig hat es das Tempo, daß es zwischen Frage und Antwort noch nicht einmal eine sichtbare Pause machen kann. Es geht einfach zu schnell, als daß man nach dem Fragezeichen, als daß man, wenn die Antwort *(mit mir)* kommt, Zeit hätte, mit einem großen Buchstaben neu anzusetzen. Und kaum ist sie gegeben, so hängt sich rasch die nächste Fragefloskel *(nicht wahr?)* an. Wie oft haben wir es gehört, wenn die Sonaten und Symphonien eines großen Meisters ans Ende kommen: wie es sich dann überstürzt in dem hastigen Hin und Her von Stimme und Gegenstimme, vorwärts, rückwärts *(desto besser, besser desto!)*, mutwilliges Wiederholungsspiel der melodischen Phrase. Ganz wörtlich finden wir es in unserem Briefchen. *Das glaube ich:* es kommt, es geht. Aber es kommt und geht nicht wie es eben so kommt und geht, sondern in streng kompositorischer Ordnung. Das Sätzchen erscheint nach dem ersten Fragezeichen und nach dem letzten. Es ist immer Nummer zwei, das zweite vom Anfang, das zweite vor dem Ende, und was es vorführt ist ein veritables Rondo, die so sehr geliebte musikalische Figur im letzten Satz der klassischen Sonate. Kein Zweifel über die Tempo-Notierung des Schluß-Stückchens: allegro vivace oder presto.

Der dritte Satz: Sein Mitteilungsgehalt ist nahezu null, er ist eigentlich nichts als ein einziger Scherz. Für den Reim-Witz, der sich in diesem Satz endgültig erschöpft, tritt ein anderer ein, eine wuchernde Produktion von Wendungen und Wörtern, die alle nur den einen Gedanken umschreiben: Sie wünschen, daß ... Phrasen und Ausdrücke, alle auf dasselbe Zentrum ausgerichtet, beginnen einen Tanz aufzuführen, sie drehen sich im Kreise (im ganz wörtlichen Sinne), springen auf und umeinander herum, dies freilich wieder nach vorgezeichnetem Muster, nach festgelegtem Rhythmus. Auf fünfzehnfach verschiedene Weise wird der eine Gedanke ausgesprochen, aber wenn wir uns bis zur Mitte des ausschweifenden Katalogs durchgelesen haben, dann erscheinen die eigentlich prägnanten Verben *(Sie wünschen, Sie wollen, Sie mögen)*, kurz und zweisilbig, als einzige kurz und zweisilbig, Fluchtpunkt eines Wortwirbels, von dem aus es wieder in die Ausweitung geht, so wie umgekehrt bis zu diesem Punkte die ausgreifenden Sprachwendungen sich auf dieses Herzstück hin verengerten. Ganz folgerichtig, daß die Zweisilber eingerahmt sind von Dreisilbern, von denen aus die weitere Streckung zu zusammengesetzten Phrasen geschieht. Wir bekommen den Eindruck, daß eine Bewegung zu einer Mitte hinflutet und, ist diese Mitte einmal erreicht, wieder zurückweicht zum Rande. Es gibt einen Tanz — und ein Wort-Tanz ist es, ein wahrhafter Wort-Reigen —, in dem sich solches Hinfluten und Zurückweichen ereignet: das Menuett. Wenn wir also nach einer Markierung für diesen Satz suchen, so fällt die Wahl nicht schwer. Scherzo würde treffen, besser noch: minuetto.

Wir haben das Brieflein ans Bäsle Häsle gründlich gelesen. Wir haben es fachgemäß als eine regel-rechte klassische Sonate durchgespielt: allegro — adagio — minuetto — presto. Das Spiel ist zu Ende. Aber bleiben wir seinem Geiste noch ein kurzes Weilchen treu und fragen wir, als wären wir immer noch ahnungslos, die Frage: wer ist's? Ein Komponist. Meister des Divertimento. Meister der Sonatenform. Heitersten Gemütes, heiter auch dann noch, wenn die Misere der Welt, der leere Beutel, sich weder übersehen läßt noch übersehen werden darf. Enge Beziehung zu dem Vater, auch wenn der alte Herr vielleicht gelegentlich Anlaß hat, den Sohn *schief* anzuschauen. Sprachepoche: spätes, aber auch nicht ganz spätes 18. Jahrhundert. Sprachraum: Süddeutschland. Katholisch. Verwandte in Augsburg. Liegt uns der Name auf der Zunge? Das glaube ich. Ja, Wolfgang Amadeus Mozart schreibt im Jahre 1777 an seine Kusine, an sein Bäsle Häsle, Maria Anna Mozart zu Augsburg.

*   *   *

Der Originaltext lautet („Mozart. Briefe und Aufzeichnungen. Gesamtausgabe", hrsg. von der Internationalen Stiftung Mozarteum

Salzburg, gesammelt und erläutert von Wilhelm A. Bauer und Otto Erich Deutsch, Band II, Nr. 364, S. 104, Zeile 1—24, Kassel etc. 1962/63, Bärenreiter-Verlag):

[Mannheim, den 5. November 1777]

Allerliebstes bäsle häsle!

Ich habe dero mir so werthes schreiben richtig erhalten falten, und daraus ersehen drehen, daß der H: vetter retter, die fr: baaß has, und sie wie, recht wohl auf sind rind; wir sind auch gott lob und danck recht gesund hund. ich habe heüt den brief schief, von meinem Papa haha, auch richtig in meine klauen bekommen strommmen. Ich hoffe sie werden auch meinen brief trief, welchen ich ihnen aus Mannheim geschrieben, erhalten haben schaben. desto besser, besser desto! Nun aber etwas gescheüdes.

mir ist sehr leid, daß der H: Prælat Salat schon wieder vom schlag getrofen worden ist fist. doch hoffe ich, mit der hülfe Gottes spottes, wird es von keinen folgen seyn schwein. sie schreiben mir stier, daß sie ihr verbrechen, welches sie mir vor meiner abreise von ogspurg voran haben, halten werden, und das bald kalt; Nu, daß wird mich gewiß reüen. sie schreiben noch ferners, ja, sie lassen sich heraus, sie geben sich blos, sie lassen sich verlauten, sie machen mir zu wissen, sie erklären sich, sie deüten sie mir an, sie benachrichtigen mir, sie machen mir kund, sie geben deütlich am tage, sie verlangen, sie begehren, sie wünschen, sie wollen, sie mögen, sie befehlen, daß ich ihnen auch mein Portrait schicken soll schroll. Eh bien, ich werde es ihnen gewis schicken schlicken. Oui, par ma la foi, ich scheiss dir auf d'nasen, so, rinds dir auf d'koi. appropós. haben sie den spuni cuni fait auch? — — — was? — — ob sie mich noch immer lieb haben — — das glaub ich! desto besser, besser desto! Ja, so geht es auf dieser welt, der eine hat den beutel, der andere hat das geld; mit wem halten sie es? — — mit mir, nicht wahr? — — das glaub ich! ietzt ists noch ärger. appropós.

ANMERKUNGEN

Interpretation als eine moralische Veranstaltung betrachtet

Zuerst im „Jahrbuch 1968 der Deutschen Akademie für Sprache und Dichtung", Heidelberg/Darmstadt: Lambert Schneider, 1969, S. 32—45

[1] Jetzt in: Karl Otto Conradi (Hrsg.), Einführung in die neuere deutsche Literaturwissenschaft (Rowohlts deutsche Enzyklopädie 252/253, 1966).
[2] S. Burnshaw (Hrsg.), The Poem Itself (New York, 1960).
[3] William K. Wimsatt, The Verbal Icon (Lexington, Ky., 1954).
[4] Werke (Hamburger Ausgabe, 1958), XII, S. 51 f.
[5] Friedrich Schlegel, Schriften und Fragmente, hrsg. v. Ernst Behler (Stuttgart, 1956), S. 54.
[6] Beda Allemann, Martin Heidegger und die Politik, in: Merkur Nr. 235 (Okt. 1967), S. 976.
[7] George Steiner, „The Hollow Miracle", ursprünglich veröffentlicht 1959, jetzt in: G. St., Language and Silence, New York 1967, S. 95 ff. Dort finden sich folgende Feststellungen: „Was gestorben ist, das ist die deutsche Sprache" (S. 96), oder: „Wie könnte das Wort ‚spritzen' wieder eine geistig gesunde Bedeutung erlangen, nachdem es für Millionen das ‚Spritzen' jüdischen Blutes von Messerschneiden bedeutet hat?" (S. 99). Auf solcher Argumentationsbasis ließe sich natürlich behaupten, daß die christlich-chiliastische Vorstellung vom Tausendjährigen Dritten Reich für immer und hoffnungslos kompromittiert sei.
[8] Sigurd Burckhardt, The Metaphoric Structure of Goethe's „Auf dem See", in: Germanic Review XXXI (1956), S. 35 ff., und The Consistency of Goethe's „Tasso", in: Journal of English and Germanic Philology LVII (1958), S. 394 ff.
[9] Emil Staiger, Die Kunst der Interpretation (Zürich, 1961), S. 17 ff.
[10] Jetzt in: Jost Schillemeit (Hrsg.), Interpretationen 3 (Fischer Bücherei Nr. 716, 1966), S. 290 ff.
[11] Staiger, a. a. O., S. 29.
[12] August Wilhelm Korff, Geist der Goethezeit II (Leipzig, 1927), S. 368.
[13] Georg Lukács, Deutsche Realisten des 19. Jahrhunderts (Bern, 1951), S. 25 und 22.

Über „Hermann und Dorothea"

Zuerst in „Lebendige Form. Festschrift für Heinrich Henel", München: Wilhelm Fink, 1970, S. 101—120

[1] Ich denke hierbei vor allem an die erste Reaktion meiner Nachkriegsstudenten, aber nicht ausschließlich daran. In den bedeutenden Gesamt-

Darstellungen des Goetheschen Werkes der letzten Jahrzehnte findet sich
nur in Emil Staigers schönem und liebevollem Kapitel über Hermann und
Dorothea („Goethe", II, Zürich 1956, S. 232–262) eine eindeutig positive
Bewertung. Gundolf („Goethe", Berlin 1916), zwar respektvoll anerken-
nend, widmet dem Goetheschen Epos ganze vier Seiten, während die
„Römischen Elegien" etwa 25 zugemessen bekommen. Über August Wilhelm Korffs Ausführungen in „Geist der Goethezeit" II (Leipzig 1927,
S. 365 ff.) ist an späterer Stelle zu sprechen. Am negativsten äußert sich
Karl Viëtor („Goethe", Bern 1949, S. 154 ff.), bei dem sich folgende Urteile
finden: „etwas Zwitterhaftes", „gelehrte Manier", „verblaßtes Werk", ein
vergeblicher Versuch, „das Epos in einem Zeitalter zu erneuern, dessen
Boden solche ausgestorbenen Pflanzen nicht mehr hervorzubringen ver-
mochte". Wenn freilich auch nicht in diese Kategorie gehörend, so sei als
symptomatisch auch Richard Friedenthals Goethe-Buch erwähnt (München
1963), weil es dem modernen Leser eine so ansprechende Goethe-Vorstel-
lung vermittelte, daß es sich monatelang auf der Bestseller-Liste halten
konnte. Er überschreibt zwar ein langes Kapitel (S. 449–468) „Ein deutsches
Idyll", handelt dann aber nach einer ganz kurzen Nacherzählung „Hermann und Dorotheas" von weit auseinanderliegenden Dingen, der politischen und militärischen Lage Europas, Goethes Reaktion auf die französischen Vorgänge, seiner Reise in die Schweiz, ohne des deutschen Idylls
noch einmal zu gedenken. – Von Einzelmonographien der jüngeren Vergangenheit ist nur Heinz Helmerkings „Hermann und Dorothea" zu
nennen (Goethe Schriften im Artemis Verlag, Nr. 4, Zürich 1948). Sie
bietet, getreu dem Untertitel, eine sorgfältige und vorzügliche Darstellung
von „Entstehung" und „Ruhm" des Gedichts, wenn es aber zu seinem
„Wesen" kommt, gehen die Einsichten im Grunde nicht über die von
Viktor Hehn in „Über Goethes Hermann und Dorothea" (Stuttgart 1893,
aber schon 1851 verfaßt) hinaus. – Nach Abschluß meiner Arbeit erschien
Maria Lypps Aufsatz „Bürger und Weltbürger in Goethes ‚Hermann und
Dorothea' " in: Goethe (N. F. des Jahrbuchs der Goethe-Gesellschaft) XXXI
(1969), 129 ff. Wir begegnen uns in der Zurückweisung der Glorifizierung
eines beschränkten Bürgertums. Aber auch nur darin, denn sonst ist Maria
Lypps Arbeit soziologistisch orientiert, weshalb am Schluß auch Karl
Marx und Bertholt (sic!) Brecht (S. 138) (d. h. seine Hexameter-Bearbeitung
des Kommunistischen Manifests) als Kronzeugen aufgerufen werden.
[2] „So schmilzt man bei seinen eigenen Kohlen": mit diesen Worten hatte
Goethe seine Rührung erklärt und entschuldigt, nachdem er Teile des
Gedichts Weimarer Freunden vorgelesen hatte. (Berichtet von Caroline von
Wolzogen, Artemis „Gedenkausgabe", Zürich 1949, XXII, 248. – Alle
weiteren Hinweise beziehen sich auf diese Ausgabe unter Angabe des
Bandes und der Seite).
[3] Melitta Gerhard, „Chaos und Kosmos in Goethes ‚Hermann und Dorothea' " (Monatshefte XXXIV, 1942, S. 423) erklärt, der antike Hexameter
sei „entsprechender Ausdruck für eine Lebenshaltung, da alle elementare

Gewalt in höherer Ordnung gebunden ist". Damit, so scheint es mir, imputiert sie ihm eine Qualität als ontologisch, die er erst historisch durch die Bemühungen Goethes bekommen haben mag.

[4] Auf die Bedeutung von Dorotheas Namen spielt Goethe an, indem er den Pfarrer sagen läßt:

> *Denn die Wünsche verhüllen uns selbst das Gewünschte*, die Gaben
> Kommen von oben herab, *in ihren eignen Gestalten.*

In einem Brief an Körner läßt er dessen Schwägerin, Dorothea Stock, bestellen, „daß, ich weiß nicht durch welchen Zauber, meine neue Heldin schon wieder Dorothea heißt". (Der Brief fehlt in der Artemisausgabe, zu finden in WA, Abt. VI, Bd. 11, S. 285). Damit verweist er auf die Heldin seines mediterranen Gedicht-Fragments „Alexis und Dora" und verbindet also ganz bewußt den Namen des linksrheinischen Dorfmädchens mit der „Klassizität".

[5] Hingewiesen sei hier auf die ausgezeichnete Studie von Hans Steckner „Der epische Stil von Hermann und Dorothea" (Sächsische Forschungsinstitute in Leipzig, Heft IV, Halle 1927). Der Autor erklärt zwar in seinem Vorwort, das Goethesche Gedicht sei ihm eigentlich nur ein „Vorwand", um das „Wesen des Epos überhaupt" zu erfassen. Im letzten Teil seines Buches (S. 233 ff.) finden sich aber die klügsten Einsichten über „Stil und Gehalt" und die „Gesinnung" der Dichtung.

[6] Ich stelle mich damit in entschiedenen Gegensatz zu Korffs Deutung (vgl. Fn. 1), die in dem Kapitel „Ordnung und Umsturz" den Ordnungsgedanken so sehr als Voraussetzung des ganzen Gedichts sieht, daß sie die Konfliktsituation, die das Epos vorführt, völlig abwertet und das, was hier erst gefunden, ja erkämpft wird, als unerschütterlich vorgegebene Prämisse statuiert. So wird denn gleich von Anfang an (S. 365) deklariert, es handele sich bei „Hermann und Dorothea" um das „Idealbild deutscher Bürgerlichkeit". Im weiteren lesen wir dann über die unbezweifelbaren Glaubenssätze dieser Bürgerlichkeit, und sie sind solcher Art, daß wir uns fragen müssen, ob sie wirklich diesem unserem Gedicht abgelesen sind. „Man heiratet unter dem Gesichtspunkt des Familieninteresses, das zwar eine Neigung zu der gewählten Person voraussetzt, eine Eheschließung aber erst legitimiert, wenn die Neigung auch der Familienpflicht entspricht. Die Liebe, in ihrer persönlichen Bedeutung nicht geleugnet, wird bei der Eheschließung zu einem untergeordneten Element. Man heiratet als Familienglied nicht als Einzelperson und nach rein persönlichem Bedürfnis" (S. 366). Ist das die Art, wie Hermann heiratet? Und ist es richtig zu behaupten: „er denkt nie daran, sich das Weib seiner Wahl gegen die Familie ... zu ertrotzen (S. 368)? Er droht schließlich mit nicht weniger, als das Elternhaus für immer zu verlassen, wenn ihm Dorothea unbedingt verweigert wird.

[7] Bekanntlich wird auch der Name der Mutter, Lieschen, einmal genannt, dies Goethes Liebeszeichen an seine eigene Mutter.

[8] Auf diese ironischen und parodistischen Züge verwies dankenswerter-

weise Richard Samuel, „Goethes ‚Hermann und Dorothea'", jetzt in: Selected Writings, hrsg. von D.R. Coverlid u. a. (Melbourne 1965), S.32.
[9] Aufgezeichnet von Riemer, XXII, S.368.
[10] „Der Briefwechsel Schiller-Körner", hrsg. von Ludwig Geiger, III (Stuttgart 1892), S.268.
[11] IX, S.631.
[12] XX, S.426.
[13] XIX, S.252.
[14] Ebda, S.268.
[15] Rainer Maria Rilke, „Sämtliche Werke" II (Wiesbaden 1956), S.468.

Zur Spätfassung eines Brentano Märchens

Zuerst in „Probleme des Erzählens in der Weltliteratur. Festschrift für Käte Hamburger", Stuttgart: Klett, 1971, S.101—126

[1] Zitiert wird nach der vierbändigen Hanser-Ausgabe „Clemens Brentanos Werke" (München 1963/68), mustergültig ediert und kommentiert von Friedhelm Kemp (der erste Band gemeinschaftlich mit Wolfgang Frühwald und Bernhard Gajek). Da der Anmerkungsapparat auch die einschlägige Brief-Literatur in guter Auswahl bietet, wird auch sie dieser Ausgabe entnommen.
[2] Damit soll keineswegs Leben und Dichten Brentanos in zwei Hälften: vor und nach der Rückkehr zur katholischen Kirche, zerrissen werden. Zumindest seit Karl Viëtors Aufsatz „Der alte Brentano" (DVJS II, 1924, S.556 ff.) ist erkannt worden, daß die religiösen und literarischen Probleme des Dichters Grundfragen seiner Gesamtexistenz sind, am klarsten ausgesprochen als „ästhetische Existenz mit dem Willen zum Religiösen" von Walther Rehm in seiner Einleitung zu „Clemens Brentanos Romanfragment ‚Der schiffbrüchige Galeerensklave vom toten Meer'" (Berlin 1949, S.54). Inwieweit auch Brentanos „Nachschriften" der Visionen der Anna Katharina Emmerick „Dichtungen" sind, hat u.a. Joseph Adam deutlich gemacht („Clemens Brentanos Emmerick-Erlebnis", Freiburg i. Br. 1956).
[3] Die „Lebens- und Werkchronik" (I, 1268 ff.) gibt als Erscheinungstermin „Herbst 1837" an (S.1276), doch wohl irrtümlich, da sich an allen anderen Stellen, etwa I, 1015, die Eintragung 1838 findet.
[4] So Wolfgang Frühwald, „Das verlorene Paradies. Zur Deutung von Clemens Brentanos ‚Herzlicher Zueignung' des Märchens ‚Gockel, Hinkel und Gackeleia'", Literaturwissenschaftliches Jahrbuch, N. F. III, 1962, S.178.
[5] Es ist schwer auszumachen, auf welchen Zeitpunkt die Arbeit an der ersten Fassung unsres Märchens anzusetzen ist. Die früheste Beschäftigung mit den „Italienischen Märchen" geht auf den Herbst 1805 zurück (I, 1270). Der Anfang des Märchens ist sicher vor dem 11. März 1811

141

geschrieben (vgl. Anm. 16). Damit erweist sich die Vermutung des Herausgebers (III, 1094), Luise Hensel habe als Vorbild für das Fanferlieschen gedient, als sehr unwahrscheinlich, da Brentano Luise Hensel erst im Oktober 1816 kennengelernt hat.

[6] „Alles ist Stoff und nichts ist Untiefe", so Marianne Thalmann, „Das Märchen und die Moderne" (Stuttgart 1961), S. 61.

[7] Friedrich Gundolf („Über Clemens Brentano", Zeitschrift für Deutschkunde XLII, 1928, später auch in: „Romantiker I", Berlin 1930) erklärt zwar (S. 99), die Märchen seien nicht „f ü r kindliches Verständnis, sondern a u s kindlicher Phantasie" geschrieben, die auch „die unkindlichen Stoffe" verarbeitet. Das scheint mir in hohem Grade zweifelhaft. Die Stoffe sind durchaus nicht unkindlich, wohl aber das, was die Brentanosche Phantasie aus ihnen macht.

[8] Dabei ist freilich zu bedenken, daß in Basiles Vorlage „Il Dragone" eine Fanferlieschen entsprechende Figur kaum zu finden ist. Es gibt da nur eine (namenlose) Zauberin und Hexe, die zwar den bösen König vertreibt, aber in so negativem Licht gesehen ist, daß die Bevölkerung die Rückkehr des (geläuterten) Königs mit Jubel begrüßt. Nur die Handlung um den grausamen König, die tückische Königin, die eingemauerte Prinzessin und die Heldentaten ihres Sohnes findet sich in „Il Dragone", wenn freilich auch mit starken Abweichungen, vorgebildet.

[9] Vgl. u. a. Wilhelm Emrich, „Begriff und Symbolik der ‚Urgeschichte' in der romantischen Dichtung", jetzt in W. E., „Protest und Verheißung" (Frankfurt/Bonn 1960), S. 25 ff.

[10] So, wenn auch in ganz anderem Zusammenhang, Emil Staiger, „Die reißende Zeit" in: „Die Zeit als Einbildungskraft des Dichters" (Zürich/Leipzig 1939, S. 87), auch heute noch, nach mehr als 30 Jahren, zu dem Besten gehörend, was über Brentano ausgeführt wurde.

[11] Etymologisch sind „Schoß" und „Schürze" in der deutschen Sprache eng miteinander verbunden, da „Schoß" ursprünglich den Saum des Kleidungsstückes bezeichnete, der dann auf den Körperteil, den er bedeckte, übertragen wurde. (Vgl. die Artikel über „Schoß" und „Schürze" im Grimmschen Wörterbuch.)

[12] Claude David, „Clemens Brentano" in: „Die deutsche Romantik", hrsg. von Hans Steffen (Göttingen 1967), S. 165.

[13] Ganz unannehmbar ist die Erklärung Ilse Mahls in ihrer dürftigen Arbeit „Der Prosastil in den Märchen Clemens Brentanos" (Germanische Studien Nr. 110, Berlin 1931), daß mit diesen Mitteln „ein sehr eindringlicher Erzählerton angeschlagen wird" (S. 80).

[14] Es ist hier nicht der Ort, auf die Zusammenhänge von Brentanos Dichtung mit der romantischen Poetologie und Erlebnisweise im allgemeinen einzugehen. Wichtiges darüber bei Paul Böckmann, „Die romantische Poesie Brentanos und ihre Grundlagen bei Friedrich Schlegel und Tieck", Jahrbuch des Freien Deutschen Hochstifts 1934/35, S. 56 ff.; dort auch Ausführliches über die romantische Ironie (S. 74 ff.), über Brentanos „Wortspiele" (S. 148 ff.) und den Begriff der Arabeske (S. 67, 74, 76 f.).

Brentano selbst hat seine Dichtweise verschiedene Male arabesk genannt, und als wildwuchernde und wirre Arabesken ist sie im abschätzigen Sinne von der früheren Brentano-Forschung charakterisiert worden. In seinem ungemein erkenntnisreichen Buch „Die Arabeske" (München/Paderborn 1966) hat Karl K. Polheim kürzlich die Arabeske als einen der entscheidenden Formbegriffe in Friedrich Schlegels ästhetischem Vokabular nachgewiesen. Was er (S. 24) als die letzte und umfassendste Definition des Arabesken bei Schlegel darbietet, deckt sich Wort für Wort mit dem, was ich in diesem Aufsatz über Brentano deutlich machen möchte.

[15] Dasselbe auch in Brentanos Gedicht „Auf dem Rhein" (I, 98). Diese Einführung des Sängers am Schluß des Liedes hat Brentano natürlich vom Volkslied übernommen; aber daß und wie er dieses Formprinzip aufgreift, ist kein Zufall.

[16] Diese Substituierung der in der frühesten Fassung erscheinenden Ziege (Ziegesar) durch Ursula von Bärwalde mag einen Hinweis auf die Entstehungsgeschichte des Märchens geben. Am 11. März 1811 war Bettina durch ihre Heirat mit Arnim Herrin von Wiepersdorf im Distrikt Bärwalde geworden. Erst nach diesem Datum ist wohl die Vertauschung von Ziege und Bärin geschehen. Es ist aber aufschlußreich, daß sich Brentano nicht die Mühe gemacht hat, in den Anfangsteilen den neuen Namen einzusetzen, obwohl dies nur ganz weniger Korrekturen bedurft hätte. Vielleicht also wollte er wirklich das Schwesterbild erst „nachträglich" in die Geschichte hereinholen.

[17] Vgl. zu dieser kuriosen Figur die Anmerkung III, 1078 f.

[18] Dietrich Pregel, „Das Kuriose in den Märchen Clemens Brentanos", Wirkendes Wort X (1960/61), S. 290.

[19] Gewiß kein Zufall, daß Brentano hier von den Zöglingen Fanferlieschens als „Kinder" spricht. Das können sie schwerlich sein, da Ursula immerhin alt genug ist, um kurz nach dieser Szene Jerums Frau zu werden. Aber da das Wappenbild Ursprung und Herkunft festhält, verwandeln sich unter der Hand die jungen Damen und Herren, wenn sie nun den Platz mit den Wappentieren tauschen, in Kinder.

[20] M. Thalmann, „Zeichensprache der Romantik" (Heidelberg 1967), S. 99.

[21] Das ist ein im Lateinischen nicht gebräuchliches Wort für „Schürze". Brentano hat sich hier, sicher bewußt, einen etymologischen Scherz geleistet. Im Deutschen steht das Kleidungsstück (Schoß) für den Körperteil, den es bedeckt (vgl. Anm. 11). Jetzt im Lateinischen dreht Brentano den etymologischen Tatbestand um: er leitet von dem Namen des Körperteils (femor = Oberschenkel, Unterleib) die Bezeichnung für das ihn bedeckende Kleidungsstück ab.

[22] Gundolf, a.a.O. S. 8.

[23] David, a.a.O. S. 166. Kurz darauf (S. 178) lesen wir freilich: „das reine Märchen, in dem ... die Sprache gleichsam sich selbst genießt". Das kommt dem wahren Sachverhalt beträchtlich näher.

[24] Das ist die Zauberformel, mit der, bis zum Überdruß wiederholt, Hans Magnus Enzensberger in „Brentanos Poetik" (München 1961) das Sprach-

erlebnis und die Sprachpraxis Brentanos einfangen will. Nur einige Beispiele: „die maßlos entstellte und zum Fetisch gewordene Sprache" (S. 117); „die entstellenden Möglichkeiten, die ein solches Verfahren in sich birgt,... liegen auf der Hand" (S. 118); „jenes gebrochene Sprachverhältnis, ... das wir Entstellung genannt" (S. 125); „Das Verfahren der Entstellung macht der alten Poetik vollends den Garaus" (S. 139).

[25] Staiger, a.a.O. S. 40. Dabei ist freilich zu betonen, daß Staiger in dem später folgenden Teil „Der Widerstand" (S. 81 ff.) dieser nur halben Wahrheit das Gegenbild gegenüberstellt und damit das treffende Gleichgewicht schafft. Darum auch sind Enzensbergers Einwände gegen Staiger (a.a.O. S. 122) gegenstandslos, weil er die später vorgetragene dialektische Gegenposition nicht zur Kenntnis nimmt.

[26] Um früher Ausgeführtes noch einmal zu unterstreichen: es ist von entscheidender Bedeutung, daß Ding (Blume) und Name (... blume) zusammenfallen.

[27] So auch in dem schönen Altersgedicht „Wenn der lahme Weber träumt, er webe" (I, 611). Enzensbergers Analyse des Gedichts (a.a.O. S. 43 ff.) trägt weder zum Verständnis dieser syntaktischen Ambivalenz noch zu dem des ganzen Gedichts Wesentliches bei.

[28] Vielleicht ist einer solchen Umkehrung (Haus- und Kindermädchen statt Grimms Kinder- und Hausmärchen) auch der Name Fanferlieschen zu verdanken. Die Vermutung des Herausgebers, der Name sei entstanden aus einer Amalgierung des (französischen) Feennamens Fanfreluche mit dem Vornamen der Hensel (III, 1094) ist wenig überzeugend (vgl. Anm. 5). Möglich aber ist, daß sich Brentano bei dem Titel seiner Vorlage „Il Dragone" der Name des klassischen Drachens Fafner suggeriert hat und daß er durch Umstellung zu der Form Fanfer ... kam.

[29] David, a.a.O. S. 164.

[30] Es ist bemerkenswert, daß sich dieser formelhafte Anfang nur in den „Italienischen Märchen", und nicht in allen, findet. Da er hier, im Gegensatz zu den „Rheinmärchen", nach Vorlagen arbeitet, übernimmt er das konventionell Festgelegte.

[31] Da dieser Aufsatz der lieben Freundin Käte Hamburger gewidmet ist, die uns mit vielen klugen Arbeiten gelehrt hat, das Werk Thomas Manns besser zu verstehen, sei der Hinweis nicht übergangen, daß Brentano im Leben und Werk des „deutschen Tonsetzers Adrian Leverkühn" eine entscheidende Rolle spielt. Sein erstes großes Kompositionswerk ist die Vertonung von dreizehn Brentano-Gedichten. Was Serenus Zeitblom an vielen Stellen über die Musik seines Freundes zu sagen hat („Längst war er kein Anfänger mehr im Studium der Musik, ihres seltsam kabbalistischen, zugleich spielerischen und strengen, ingeniösen und tiefsinnigen Handwerks" oder Leverkühns musikalische „Naivitäten oder Scheinnaivitäten"), deckt sich genau mit dem innersten Wesenszug Brentanos, der, weil von Thomas Mann tiefer verstanden als von manchem zünftigen Brentano-Kenner, mit Recht für Leverkühns Musik Pate steht. Ursprünglich war das Brentano-Kapitel im „Doktor Faustus" noch beträchtlich aus-

führlicher gehalten. In der „Entstehung des Doktor Faustus" erzählt Thomas Mann, daß er erst im letzten Moment „das Schwelgen in Brentano-Liedern eingedämmt" habe (Ges. Werke, Frankfurt 1960, XI, 282).

[32] Emma von Niendorf, „Aus der Gegenwart" (Berlin 1844), S. 12, zit. bei Frühwald, a.a.O. S. 174.

[33] Dies ist auch das letzte Brentano-Zitat, das Zeitblom („Doktor Faustus", Kap. 21) aus dem Liederzyklus seines Freundes Leverkühn wiedergibt. Ich kann es mir nicht versagen, den Kommentar Zeitbloms zu dieser Strophe wörtlich wiederzugeben: „Gewiß ganz selten in aller Literatur haben Wort und Klang einander gefunden und bestätigt wie hier. Ec wendet Musik hier ihr Auge auf sich selbet und schaut ihr Wesen an. Dieses sich tröstend und trauernd Einander-die-Hand-Bieten der Töne, dieses verwandelnd-verwandt ineinander Verwoben- und Verschlungensein aller Dinge — das ist sie, und Adrian Leverkühn ist ihr jugendlicher Meister." Es gilt für Leverkühn, aber gilt es nicht ebenso für Clemens Brentano?

Eichendorff und das Problem der Innerlichkeit

Zuerst in „Festschrift für Bernhard Blume", Göttingen: Vandenhoeck & Ruprecht, 1967, S. 126—145

Urmythos „Irgendwo um Berlin"

Zuerst in „Deutsche Vierteljahrsschrift" XLIII (1969), S. 126—146

[1] So etwa Julius Bab in seinem für ein anspruchslosestes Publikum geschriebenen Buch „Gerhart Hauptmann und seine besten Bühnenwerke" (Berlin 1922), S. 111. Alfred Kerr, Hauptmanns devotester kritischer Apostel, nennt die Tragikomödie in seiner Besprechung der Uraufführung zwar „bedeutend", muß aber doch zugeben, daß „auf uns alle die Wirkung . . . gering war" und daß Hauptmann „dieses Stück nicht fertig gemacht" hat (Gesammelte Schriften I, Berlin 1917, S. 101).

[2] Am extremsten Joseph Gregor, der in seiner umfangreichen Monographie „Gerhart Hauptmann" (Wien 1948) nicht mehr als den Titel des Stückes erwähnt (S. 278). Karl S. Guthke („Gerhart Hauptmann", Kl. Vandenhoeck Reihe Nr. 106 bis 108, Göttingen 1961) tut es mit fünf Zeilen ab (S. 83). Eine verhältnismäßig ausführliche Darstellung gibt Margaret Sinden, „Gerhart Hauptmann: The Prose Plays" (Toronto 1957, S. 162—169). Was aber die Autorin hier wie überall sonst fast ausschließlich interessiert, ist Hauptmanns *detailed recording of the most urgent social problems*. Eine solche Einstellung macht es möglich, ein Stück wie „Und Pippa tanzt!" auf knapp zwei Seiten abzuhandeln, während „Peter Brauer" zehn volle Seiten zugemessen bekommt.

[3] Seit der „Ausgabe letzter Hand zum 80. Geburtstag" (Berlin 1943, Bd. IV) fehlen die Namen der Mädchen, und der Personenzettel zeigt nur noch die Eintragung: *Die acht Töchter Rauchhaupts*. Aber noch die zweibändige Ausgabe „Das dramatische Werk" zum 70. Geburtstag (Berlin 1932) führt die acht Namen einzeln auf.

[4] Wie marginal diese Figuren sind, geht schon daraus hervor, daß Hauptmann selbst sich an die Namen, mit denen er die acht bedacht hatte, nicht mehr erinnern konnte. Rauchhaupt ruft die ersten vier Mädchen, die sich zu ihm gesellen, bei ihren Namen auf, eine von ihnen als *Justeken*. Aber eine Auguste gibt es in der Liste des Personenzettels nicht.

[5] Es wäre interessant und amüsant zu wissen, wie Otto Brahm, der von „Vor Sonnenaufgang" bis zu seinem Tode im Jahre 1912 jedes Hauptmannsche Werk auf seiner Bühne uraufgeführt hat, auf die Zumutung, acht unbeschäftigte Personen zu beschäftigen, reagiert hat. Er war bekannt, ja berüchtigt für seine Sparsamkeit, nicht nur in finanziellen, sondern ebensosehr in bühnentechnischen Dingen. So hat er zu Schnitzlers leicht verärgerter Belustigung die Figur des Strumpfwirkerkindes Lina in „Liebelei" kurzerhand herausgestrichen, obwohl die Kleine sogar ein paar Worte zu sprechen hat (vgl. „Der Briefwechsel Arthur Schnitzler—Otto Brahm", hrsg. v. Oskar Seidlin, Schriften d. Gesell. f. Theatergesch., Berlin 1953, S. 37). Was mag er zu den acht stummen Rauchhaupttöchtern gesagt haben?

[6] Verwiesen sei hier auf Paul Böckmann, „Der Naturalismus Gerhart Hauptmanns", in Gestaltprobleme der Dichtung (Festschrift für Günther Müller, hrsg. v. Richard Alewyn u. a., Bonn 1957), der die „szenischmimische Gebärdenkunst" (S. 245), die „Pantomimik" (S. 249) als einen entscheidenden Grundzug des Hauptmannschen Dramentypus erkennt.

[7] Zwischen „Biberpelz" und „Florian Geyer" liegt nur noch „Hanneles Himmelfahrt". Die Traumdichtung folgt der Diebskomödie ohne jeden Abstand, ja wurde z. T. gleichzeitig mit ihr geschrieben.

[8] Dem entspricht genau die Stellung der acht Rauchhaupt-Töchter auf dem Personenzettel vom „Roten Hahn": sieben namentlich genannte Mitspieler gehen ihnen voran, sieben folgen.

[9] Um die Liste der agierenden Manns-Leute restlos zu erschöpfen: Amtsschreiber Glasenapp ist *eine dürftige, bebrillte Persönlichkeit*, und Wulkow, der einem so gesundheitsstärkenden Beruf wie der Flußschiffahrt nachgeht, klagt bewegt über sein *Reißen* und *det Doktor- und Apothekerjeld.*

[10] Auf dieses sprunghafte Auftauchen der Motive verweist auch Wolfgang Schulze („Aufbaufragen zu Hauptmanns ,Biberpelz'", Wirkendes Wort X, 1960, S. 104), ohne freilich dieser Dialogtechnik weitere Bedeutung beizumessen. Seine spätere Feststellung (S. 105), Wulkow trete im vierten Akt „mit dem Pelz" auf, ist natürlich irrig. So frech treiben es die Biberpelz-Gauner denn doch nicht!

[11] Alfred Kerr (a.a.O. S. 98 f.) setzt sich ausführlich mit der, wie er glaubt, ganz unüberzeugenden Plötzlichkeit ihres Todes auseinander.

[12] Dieses Wort, ein im Mund eines Flickschusters doch gewiß bemerkenswertes Wort, fällt als Bezeichnung für das Fielitzsche Haus. Warum ich es hier aufgreife, wird später deutlich werden.

[13] Die Hetzjagd auf die gepeinigte und verlorene Kreatur ist natürlich ein bei Hauptmann immer wieder erscheinendes Motiv. Vgl. dazu Hans

Joachim Schrimpf, „Struktur und Metaphysik des sozialen Schauspiels bei Gerhart Hauptmann", in: Literatur und Gesellschaft vom 19. ins 20. Jahrhundert (Festgabe für Benno von Wiese, Bonn 1963), S. 301 ff.

[14] Auf die gesellschafts- und sozialkritischen Elemente, die dort, wo überhaupt vom „Roten Hahn" gesprochen wird, seit der ersten Kritik Alfred Kerrs als das eigentliche Zentrum des Stückes erscheinen, kann hier natürlich nicht eingegangen werden, da es mir ja gerade um das „andere Thema" geht. Völlig verfehlt freilich ist der Versuch, den „Roten Hahn" auf Grund seiner Angriffe auf „Thron und Altar" sozialistisch zu interpretieren. Wenn überhaupt solche Tendenzen zu entdecken sind, dann gehen sie eher in die umgekehrte Richtung. Der Mann der Zukunft ist Schmarowski, der sich, nachdem er seine Geschäfte mit Kirche und Staat lautstark für abgeschlossen erklärt, der *sozialen Sache* zuwendet. Zu ihm stoßen am Schluß des Stückes der freie Handwerker Langheinrich und dessen Geselle Ede, der „klassenbewußte Proletarier", der *schon mehrmals wegen Straßenkrawalle jesessen* hat, aber jetzt zu dem neuen Mann übergeht: *Ick ha' dem Kerlchen nich riechen jemocht. Aber nu ... ne ... wo er vernünftig is und so for jesunde Ideen tut instehn: keene Willkür und Polizeijewalt, denn ... denn ... nu laß ick ihm ooch mit hochleben all!* Darum auch hat Bertolt Brechts „Bearbeitung" von „Biberpelz" und „Rotem Hahn" als ein marxistisches Lehrstück mit Hauptmanns Intentionen nicht das geringste zu tun. Brecht liquidierte die Figur Rauchhaupts und ersetzte sie durch den klassenbewußten „Sozialisten" Rauert. „Wir mußten also die Arbeiterbewegung (Sozialdemokratie) in Sicht bringen, welche Hauptmann nahezu völlig übersieht" („Zu Biberpelz und Roter Hahn von Gerhart Hauptmann", in: Schriften zum Theater VI, Frankfurt 1964, S. 299—306). Die Wahrheit ist, daß Hauptmann sie keineswegs übersehen hat. Nur daß der Blickwinkel, unter dem der Proletarier Ede erscheint, Brecht offenkundig nicht genehm sein konnte.

[15] Eine erste voreilige Vermutung, es könne sich bei dieser Bezeichnung um ein im Schlesischen umlaufendes Wort handeln, erweist sich als irrtümlich. Sie ist schon deswegen unwahrscheinlich, weil Hauptmann in diesem Falle den in dem Stück herrschenden Berliner Dialekt kontaminiert hätte. Eine genauere Überprüfung erwies, daß „Regulator" im Schlesischen nicht zu Hause ist. Walther Mitzkas „Schlesisches Wörterbuch", dessen dreibändige Gründlichkeit gewiß nichts zu wünschen übrig läßt, kennt das Wort nicht. Nur wenige der eingesehenen Wörterbücher registrieren es überhaupt, so Trübner, Wahrig und der Sprach-Brockhaus, ohne aber in irgendeiner Weise auf Schlesien hinzudeuten. Es ist fraglos ein *terminus technicus* der Uhrenbau-Mechanik und als solcher auch im Englischen bekannt.

[16] Vielleicht ist auch nicht ganz ohne Belang, daß das Wort „der Regulator" ein männliches Wesen suggeriert, während „die Uhr" weiblichen Geschlechts ist.

[17] So Margaret Sinden, a.a.O. S. 164.

Das hohe Spiel der Zahlen

Zuerst (auf englisch) in „Publications of the Modern Language Association PMLA" LXXXVI (1971), S. 924–939

1 „Briefe 1948–1955" hrsg. von Erika Mann (Frankfurt, 1965), S. 262. In seinem eindringlichen Aufsatz „Der Briefschreiber Thomas Mann" in „Lebendige Form, Festschrift für Heinrich Henel" (München, 1970) verweist Bernhard Blume auch auf diesen Brief und findet in ihm Thomas Manns letztes Wort über seine eigene erzählerische Kunst und Praxis (S. 289).

2 Alle Thomas-Mann-Zitate aus „Gesammelte Werke in zwölf Bänden" (Frankfurt, 1960). Bd. III enthält den „Zauberberg", für den im Text nur die Seitenzahl gegeben wird. Wenn es sich um ein anderes Werk Thomas Manns handelt, dann erscheint auch die Nummer des Bandes.

3 Vor allem von Hermann J. Weigand, „Thomas Mann's Novel ,The Magic Mountain'" (Chapel Hill, N. C., 2 1964), immer noch bei weitem die beste und erhellendste Diskussion des Romans. Aber selbst er sieht in dieser Zahlenmagie nicht mehr als einen „märchenhaften Zug", dem nicht mehr als eine kurze Fußnote gewidmet ist (S. 182). Die Bezeichnung der Siebenzahl als „märchenhaftes Motiv" wurde Hermann Weigand wahrscheinlich eingegeben durch Thomas Manns Charakterisierung der Sieben als „diese alte Märchenzahl von Prüfungsjahren" in dem Aufsatz „Friedrich und die große Koalition" (X, 130). In den „Gedanken im Kriege" (Werke, Moderne Klassiker, Fischer Bücherei, 1968, MK 117, S. 11) und in den „Betrachtungen eines Unpolitischen" (XII, 214 f.) erwägt Thomas Mann die Möglichkeit, daß auch die Prüfung des Ersten Weltkrieges sieben Jahre dauern könnte. Auf diese frühen Erwähnungen der bedeutsamen Siebenzahl hat mich Herr Dr. Winfried Hellmann vom Verlag Vandenhoeck & Ruprecht freundlicherweise aufmerksam gemacht. Aber selbst die früheste dieser Schriften, „Gedanken im Kriege", ursprünglich im Novemberheft 1914 der „Neuen Rundschau" erschienen, fällt bereits in die „Zauberberg"-Zeit. Konzeption und Anfänge des großen Romans gehen mindestens bis auf das Jahr 1913 zurück.

4 Vgl. „Realencyclopädie für protestantische Theologie und Kirche", Bd. XVIII (Leipzig, 1906), Eintrag „Siebenzahl, heilige".

5 Da der zweite Teil, „Der junge Joseph", so kurz ist (nur 30 Unterkapitel), kann sich das Zahlenspiel nicht so reich entfalten. Aber selbst hier sind die durch sieben teilbaren Unterkapitel von singulärer Bedeutung, besonders Unterkapitel 28 (viermal sieben), das Jaakobs verzweifelte Reaktion auf Josephs vermeintlichen Tod berichtet.

6 Genau genommen ist „Lotte in Weimar" natürlich nicht Thomas Manns nächstes Werk. Es wurde geschrieben und veröffentlicht zwischen dem 3. und 4. Band der biblischen Tetralogie.

7 Die Verschlagenheit erreicht hier ihre amüsanteste Höhe. Serenus Zeitblom erklärt im Brustton der Überzeugung: „Zahlenmystik ist nicht meine Sache, und immer nur mit Beklemmung habe ich diese Neigung an Adrian

...wahrgenommen." Und dies ist der Satz, mit dem er Abschnitt 14 (zweimal 7) beginnt (VI, 149).

[8] In „Die Entstehung des Doktor Faustus" nennt Thomas Mann Kapitel 47 „das letzte eigentlich" (XI, 299).

[9] Die Vorstellung der vier-endigen Erde geht wahrscheinlich bis auf die Babylonier zurück. Erwähnungen im Neuen Testament: Matth. XXIV. 31; Apok. VII. 1 und XX. 7. Die Verbindung von „Erde" und „vier" findet sich auch in „Der junge Joseph", wo Jaakob von den vier Elementen spricht, „das vierte, die Erde" (IV, 654).

[10] Das magische Quadrat spielt in dem Roman eine entscheidende Rolle, zuerst bezeichnenderweise erwähnt in Verbindung mit Dürers „Melencolia I", dann als der „arithmetische Stich", den Adrian in seiner Studentenbude in Halle über seinem Klavier hängen hat (VI, 125). Es erscheint in den zentralen Situationen von Adrians Leben wieder: in der Diskussion des Zwölf-Ton-Systems und in seinem Dialog mit dem Teufel. Diese Beispiele werden aufgeführt und erörtert von J. Elema, „Thomas Mann, Dürer und ‚Doktor Faustus‘ " in Euphorion LIX (1965), 97 ff.

[11] Es ist aufschlußreich zu beobachten, wie Abschnitt 34 des „Doktor Faustus" mit Thomas Manns eigner Lebensgeschichte verbunden ist. In „Die Entstehung des Doktor Faustus" erzählt er uns, daß er dieses Kapitel in den ersten Januartagen 1946 begann, d. h. genau halbwegs zwischen seinem 70. und 71. Geburtstag (XI, 247). Er arbeitet an diesem Kapitel, während sich seine fast tödliche Krankheit andauernd verschlimmert. Wenn er mit dem „Apocalipsis"-Abschnitt fertig ist, lesen wir: „das Tagebuch bricht ab" (XI, 254). Dann folgt der Bericht über die Operation in Chicago, die die Arbeit am Roman monatelang unterbricht. Wenn der Berichterstatter nach fast zwanzig Seiten wieder auf die Arbeit an dem Buch zu sprechen kommt, hören wir, daß er Kapitel 35 beginnt (XI, 272).

[12] *Exkurs:* Da in allen bisherigen Diskussionen der Struktur der Thomas Mannschen Werke die Schlüsselzahl sieben nicht entdeckt worden ist, sind die Resultate enttäuschend oder einfach unhaltbar. Gunilla Bergsten nennt ihr Buch „Thomas Manns Doktor Faustus: Untersuchungen zu den Quellen und zur Struktur des Romans" (Stockholm, 1963). Ihre Diskussion der „Quellen" ist erhellend, aber der Umriß der „Struktur" ist, milde gesprochen, vage. Über die Frage, mit der wir uns hier beschäftigen, äußert sie sich wie folgt: „Einige Probleme der Zahlenmystik bleiben indessen ungelöst. Warum teilte Mann Kapitel 34 in drei Abschnitte ein? Wollte er aus einem besonderen Grunde zu der Zahl 47 für das letzte Kapitel kommen und die natürliche Zahl 49 vermeiden? Diese Fragen lassen sich noch nicht beantworten. Vielleicht geben die Tagebücher Manns ... hierüber Aufschluß. Es ist aber auch möglich, daß sich hier die Zahlenmagie des ‚Doktor Faustus‘ als eine private Kuriosität erweist, die für das Werk in seiner Gesamtheit ohne Bedeutung ist" (S. 227). In seinem Artikel „Thomas Manns ‚Faustus‘-Roman, Versuch einer Strukturanalyse" in Die Sammlung (Göttingen) IX (1954) S. 539 ff., erweist sich Martin Greiner als etwas weniger zaghaft, aber darum nicht weniger

fehlerhaft. Er erkennt, daß das Buch in der Tat 49 Abschnitte hat, aber da er die betont unnumerierte „Nachschrift" dazuzählt, stößt er auf eine „runde Zahl", d. h. 50, als handle es sich um runde Zahlen statt bedeutungsvoller Zahlen. Da der Autor ihm eine so hübsche runde Zahl anbietet, macht er die Rundheit noch runder dadurch, daß er den ganzen Roman in zehn Bücher mit je fünf Kapiteln einteilt. Es stört ihn dabei gar nicht, daß bei diesem Verfahren Kapitel 34, offenkundig eine Einheit, wenn auch eine dreigeteilte, fragmentiert wird: die ersten beiden Teile beenden „Buch" VII, der letzte Teil eröffnet „Buch" VIII. – J. Elema (a.a.O.) erkennt den Zusammenfall von 47 mit 49 und weist auch darauf hin, daß bei solcher „kabbalistischen" Zählung die Pakt-Szene mit dem Teufel genau in die Mitte des Romans zu stehen kommt (S. 105). Aber obwohl er sich primär mit der Rolle Dürers im „Doktor Faustus" beschäftigt, wobei er einige interessante und versteckte Anspielungen aufzuweisen vermag, erwähnt er nur im Vorübergehen und in einer beiläufigen Parenthese, daß Dürer voll und beherrschend im Kapitel 34 ins Blickfeld tritt, da Adrians Oratorium „Apocalipsis cum figuris" ja auf die 15 Dürerschen Holzschnitte komponiert sind. Wäre er auf die Diskussion von Adrians Musikwerk gründlicher eingegangen, dann hätte er die erstaunliche Entdeckung gemacht, daß – mit Ausnahme des ersten Blattes der Dürer-Serie – nur ein einziges mit seiner Nummer genannt wird, natürlich „Dürers siebentes Blatt" (VI, 494), während Adrian seine teuflischste und wildeste Musik als Illustration des Holzschnitts schreibt, der die „Lösung des siebenten Siegels" darstellt (VI, 497). Ich kann mich der Vermutung nicht erwehren, daß Adrians (d. h. Thomas Manns) Wahl der „Offenbarung Johannis" von der Zahl 7 diktiert ist. Es ist d e r Teil der Bibel, der in der Siebenzahl nur so schwelgt. Von dem Evangelisten für die sieben christlichen Urgemeinden geschrieben, erscheinen (und das ist nur ein flüchtiger Katalog): sieben Sterne, sieben Planeten, sieben Siegel, sieben Trompeten, sieben Leuchter, sieben Fackeln, das Lamm mit sieben Augen und sieben Hörnern, das Tier aus der Tiefe mit seinen sieben Köpfen. Hinzukommt: niemand hat bisher die auffallende Parallele des Zahlen-Arrangements zwischen Dürers Holzschnitt-Serie und der Struktur des Thomas Mannschen Romans bemerkt. Von Dürers fünfzehn Blättern sind nur vierzehn numeriert, das erste, ein „Vorsatz" gleichsam, trägt keine Zahl. Die Formel lautet also: $0 + 7 + 7$. Die Struktur des „Doktor Faustus": $7 \times 7 + 0$ (unnumerierte „Nachschrift").

[13] Diese Einsicht kam spät genug. Mynheer Peeperkorn ist eines der beklagenswertesten Opfer „kritischer" Verbohrtheit: der Quellenjagd. Jedem, der sich „auskannte", war sofort klar, daß sich in dem Holländer ein genaues Porträt Gerhart Hauptmanns finden ließ, in seiner physischen Erscheinung und seinen Eigentümlichkeiten, dem sprichwörtlichen „Durst" und in seiner stolpernden, zerrissenen Sprechweise. Und damit war das Problem gelöst: eine Karikatur, wohlwollend oder nicht ganz so wohlwollend, und das war's. Selbst ein so brillanter Kritiker wie Erich Heller kann dieses Stückchen *chronique scandaleuse* nicht unterdrücken und be-

merkt, „. . . sein Vorbild ist nicht so sehr das Leben wie die Kunst: Gerhart Hauptmann" („Thomas Mann, der Ironische Deutsche", Frankfurt 1959, S. 243). Weigand (a.a.O. S. 13) hat einen solch illegitimen Zugang zu einem Kunstwerk mit Recht zurückgewiesen. Nur hat er ein anderes „Modell" dafür eingesetzt, Goethes „König in Thule", ein so unüberzeugendes „Vorbild", wie man es sich nur ausdenken kann.

[14] Ebda, S. 12.

[15] Nur wenige Kritiker haben diesen Doppelaspekt gesehen. Weigand spricht von der „Synthese", aber wenn er dann, und überdies sehr kurz, von Peeperkorn handelt, erwähnt er nur die „halbartikulierten dionysischen Regungen" (S. 172). Heller (a.a.O.) erkennt die Christus-Komponente überhaupt nicht, ebensowenig wie Hans M. Wolff („Thomas Mann: Werk und Bekenntnis", Bern 1957), der in Peeperkorn eine „Karikatur des dionysischen Menschen" findet (S. 73) und damit eine groteske Mißinterpretation bietet. Das gleiche trifft auf Hermann Stresau zu („Thomas Mann und sein Werk", Frankfurt 1963), der die Dionysos-Figur erkennt und hinzufügt: „eine makabre und fatale Figur" (S. 141). Andererseits bemerkt Paul Altenberg („Die Romane Thomas Manns", Homburg v. d. H., 1961) wieder nur die Christus-Komponente: „Abendmahl, Lieblingsjünger, Gethsemane" (S. 89). In seinem Aufsatz „Die Kategorie des Hermetischen in Thomas Manns ,Der Zauberberg' " in Zeitschrift für deutsche Philologie LXXX (1961) 404 ff., später Teil seines erkenntnisreichen Buches „Die Entwicklung des ,intellektualen' Romans bei Thomas Mann" (Bonn, 1962), glaubt Helmut Koopmann, sicher ohne Grund, eine Hermes-Figur in Peeperkorn finden zu können. Einige einsichtige Hinweise bei John C. Thirlwall, „Orphic Influences in the ,Magic Mountain' " in Germanic Review XXV (1950), 290 ff.; aber er begräbt sie in einer Masse von unzusammenhängenden Glossen über die Orphiker bis hin zu den Sophisten. Da er überdies die dionysischen Elemente „anti-christlich" nennt (S. 297), zerstört er die Konfiguration, die Peeperkorn darstellt.

[16] „Werke, Briefe, Dokumente", hrsg. von Pierre Bertaux (München 1963), S. 173.

[17] Dies ist eine der genialsten Streiche Thomas Manns. „Korndestillat" ist ein Neutrum, d. h. er kann sich darauf mit dem sächlichen Pronomen „es" beziehen, das natürlich das richtige Fürwort für das Neutrum „Brot" ist (*nachdem er es kurz gekaut*). Alle anderen möglichen Namen für das, was Mynheer Peeperkorn trinkt (Schnaps, Korn, Genever, Cognac) sind maskulin und würden das Pronomen „ihn" erfordern. Die einzige Ausnahme: das Getränk; aber dieses Wort mußte vermieden werden, weil es den Witz preisgegeben hätte: es ist ja doch „Brot", das gekaut und geschluckt wird.

[18] Mit Freuden sehe ich mich in Übereinstimmung mit einem der subtilsten und klügsten Literaturkenner und -interpreten, Rudolf Kassner. Seine kurze Besprechung des „Zauberbergs" in Die literarische Welt vom 23. IV. 1926 (jetzt in Heinz Saueressig, „Die Entstehung des Romans ,Der Zauberberg' ", Biberach 1965, S. 63 ff.) endet so: „. . . die prachtvolle, durchaus

bedeutende, ins Symbolhafte reichende Figur des Holländers Peeperkorn, daher das Außerordentliche der ganzen Situation: Castorp, Chauchat, Peeperkorn, was ... den Wert des ganzen Buches bestimmt."

[19] Hans M. Wolff, a.a.O. S. 73.

[20] Herbert Lehnert, „Hans Castorps Vision" in Rice Institute Pamphlets XLVII (1960), S. 27.

[21] Herman Meyer, „Thomas Manns ‚Der Zauberberg' und ‚Lotte in Weimar'" in „Das Zitat in der Erzählkunst" (Stuttgart 1961): „gewiß eine scheußliche Blasphemie" (S. 220).

[22] Wie man beim Anhören dieses Satzes von Blasphemie sprechen kann, ist mir unverständlich. Kaum je hat Thomas Mann so edel, so poetisch „schön" geschrieben wie hier, ganz unironisch, da ja syntaktische Unterordnungen, Qualifizierungen, Gegenbewegungen zum Stil des Ironikers gehören, die sich darum auch bei Thomas Mann in unendlicher Fülle finden. Hier fließt ein Hauptsatz ungebrochen in den anderen; da ist der beinah-Reim *(verbreiterten-weiteten)*, die dreifache Alliteration *(Stirne stiegen; blassem Leidensblick; Bild der Bitternis)*, die durch den Reim bereicherte Alliteration *(schlaff-klagend klaffte)*, all dies in weniger als fünf Zeilen. Dieser Satz allein widerlegt alles Gerede von Karikatur, Blasphemie und Abstrusität.

[23] In seinem Aufsatz „Thomas Mann's Early Interest in Myth and Erwin Rohde's ‚Psyche'" in PMLA LXXIX (1964), 297 ff., hat Herbert Lehnert nachgewiesen, wie vertraut Thomas Mann mit dem Werk des großen Nietzsche-Freundes und Mythographen Erwin Rohde war, und wie gründlich er es schon für den „Tod in Venedig" benutzt hat. Natürlich spricht Rohde ausführlich von Dionysos Zagreus. Ich habe nur die stark gekürzte Fassung von Rohdes Buch eingesehen (Kröner Ausgabe), aber selbst da wird die Geschichte des Dionysos Zagreus ausführlich erzählt (S. 182 f. und 288).

[24] Pauly-Wissowa, „Realenzyklopädie der classischen Altertumswissenschaften" (Stuttgart 1903), Eintrag: „Dionysos", Kol. 1041. Ich weiß nicht, ob Thomas Mann diese spätalexandrinische Version bekannt war. In der Kröner Ausgabe des Rohdeschen Buches, die ich konsultiert habe, findet sie sich nicht.

[25] Es mag nicht ganz ohne Belang sein, daß das Wort „erledigt" bereits im „Tonio Kröger" in einer Schlüsselposition erscheint, dort wo Lisaweta die Summe Tonio Krögers gezogen hat.

[26] Das Wort „Narr" ist hier mit biblischem Unterton zu hören, als Epithet für die Gotteskinder im Gegensatz zu den Weltweisen. Hier ist nun ein Hinweis auf Gerhart Hauptmann nicht nur erlaubt, sondern erforderlich. Im Jahre 1910, kurz bevor Thomas Mann den Plan zu einer Erzählung faßte, die sich zum „Zauberberg" auswachsen sollte, erschien Gerhart Hauptmanns erster großer Roman, „Der Narr in Christo Emanuel Quint". Hier also ist Peeperkorns „Narretei" vorgebildet. Und Gerhart Hauptmanns berühmte Novelle „Der Ketzer von Soana" (1918) war eminent geeignet, die dionysischen Züge zu steigern, denn sie feiert „die Über-

macht der Natur, ihre Majestät, ihr ungeheures Phallus-Lied". Nur diese „Ketzer von Soana"-Parallele ist von Jürgen Scharfschwerdt in seinem Buch „Thomas Mann und der deutsche Bildungsroman" (Stuttgart 1967, S. 128) bemerkt worden. Leider verdirbt er sich diese hübsche Entdeckung wieder dadurch, daß er darauf besteht, Peeperkorn könne nur als eine „Parodie der Persönlichkeit" (S. 127) verstanden werden. Und warum? Weil er nicht „die ungebrochene in sich ruhende Persönlichkeit im klassischen Sinne" darstellt. Gewiß tut er dies nicht. Aber ist denn kein anderes Konzept der Persönlichkeit möglich? Thomas Mann (und Hans Castorp) erklären ausdrücklich, was unter „Persönlichkeit" zu verstehen ist. *Das Dynamische . . . das Mysterium . . . Wie das Leben.* Das ist nun freilich nicht die harmonische klassische Persönlichkeit. Aber warum muß es deshalb eine Parodie sein?

[27] Lehnert, „Hans Castorps Vision", S. 26. In derselben Richtung Inge Diersen, „Untersuchungen zu Thomas Mann" (Berlin/Ost 1965), deren marxistischer Dogmatik es gelingt, Thomas Manns Werk völlig zu entstellen. Es wird uns versichert (S. 152), daß Peeperkorn „für Hans Castorp ohne praktische Konsequenzen bleibt", wobei wir freilich ein paar Seiten später lesen: „Dennoch übt er auf seine Umwelt einen positiven Einfluß aus" (S. 164). Offenbar gehört die Hauptperson eines Romans nicht zu seiner „Umwelt". Und vielleicht sollte es diesen Kritikern auch etwas zu denken geben, daß von allen Namen der Mentoren, denen Hans Castorp auf dem Zauberberg anvertraut wird, nur der Peeperkorns in einer Kapitel-Überschrift erscheint, und dies gleich dreimal. Schwer verständlich, wenn er „für Hans Castorp ohne praktische Konsequenzen" wäre.

[28] Der Text macht unabweisbar deutlich, wie eng Thomas Mann die Verbindung Fasching-Karwoche gesehen haben will. Wenn in dem Kapitel „Walpurgisnacht" das Wort „Fastnacht" zum ersten Male fällt, erscheint es in folgendem Zusammenhang: *„Nun kommt also Fastnacht. Dann rückt Palmsonntag heran (gibt es hier Kringel?), die Karwoche, Ostern . . ."* (449).

[29] Fritz Kaufmann („Thomas Mann: The World as Will and Representation", Boston 1957, S. 111) hat diese Parallele wenigstens erwähnt. Aber er spricht nur von einem „Echo", während es sich um eine wortwörtliche Übersetzung handelt. Außerdem engt er die Bedeutung dieses Schlüsselsatzes dadurch ein, daß er ihn nur auf Joachim Ziemßen bezieht.

[30] Auch in ihrem äußeren Bau sind diese beiden Kapitel genau kontrapunktisch und „umgekehrt" geführt. Das Kapitel „Walpurgisnacht" beginnt mit der großen Faschingsgeselligkeit, an der alle Patienten des Sanatoriums teilnehmen, und endet mit dem intimen Liebesgespräch zwischen Hans und Clawdia. Das Kapitel „Vingt et un" beginnt mit der privaten Konversation zwischen Hans und Clawdia und endet mit dem Festgelage Mynheer Peeperkorns.

[31] Es wäre durchaus lohnend, das intrikate Muster nachzuzeichnen, das den Gebrauch von „du" und „Sie" zwischen Hans und Clawdia und in ähnlicher Weise zwischen Hans und Mynheer Peeperkorn bestimmt: Han-

sens Beharrlichkeit, die Geliebte „du" zu nennen bis zu dem Tode Peeper-
korns, wo er plötzlich zum „Sie" übergeht; ihre Entrüstung über diese
Familiarität und Entschlossenheit, beim „Sie" zu bleiben, bis zu der
Bündnis-Szene, wo sie ihn plötzlich mit „du" anredet.

[32] Ich vermute, daß Thomas Mann das schöne Oxymoron von der „weißen
Finsternis" Stifters „Bergkristall" entnommen hat. Auch da widerstehen
die beiden Kinder tapfer der Verführung des Todes, finden ihren Weg
nach Hause und kehren zu einer versöhnten Gemeinschaft zurück, nachdem sie die nächtlichen Schrecken eines andauernden Schneefalls im Hoch-
gebirge überstanden haben.

[33] Ein Wort über die seltsamen Bemühungen einiger Interpreten, die zu
beweisen suchen, daß „die Struktur des ‚Zauberbergs' . . . ein ‚Ergebnis'
nicht zuläßt" (Herbert Lehnert, „Thomas Mann, Fiktion, Mythos, Religion", Stuttgart 1965, S. 193). In diesem Falle wäre der „Zauberberg"
weder ein „Bildungsroman" noch eine Parodie eines „Bildungsromans",
sondern eine Farce. Ich habe zu zeigen versucht, daß die Lektion, die Hans
Castorp im „Schnee" gelernt hat, keineswegs vergessen ist. Sie wird
gelebte Wirklichkeit in der Peeperkorn-Episode, so wie sie sich am Schluß
des Romans in Hansens *freier* Entscheidung, zu seiner Volksgemeinschaft
zurückzukehren, manifestiert, selbst wenn diese Gemeinschaft in einen
tödlichen Krieg verwickelt ist, den Hans Castorp selbst vielleicht nicht
überleben wird. Aber es ist offenkundig ein Unterschied, ob jemand sein
Leben im Kampf, am Leben zu bleiben (und so sehen wir ihn in der letzten
Szene), verliert, oder ob er sich dem Tode hingibt in einem berauschten
Bekenntnis zu *le corps, l'amour, la mort, ces trois ne font qu'un*. Wenn
l'amour als Eros und Charitas erlebt wird — und das geschieht in der
Peeperkorn-Episode —, ist der Bann des Todes gebrochen und mit ihm die
verzaubernde Magie des Zauberbergs. Wenn nicht dies, dann weiß ich
nicht, was ein „Ergebnis" sein könnte.

Eine Brief-Interpretation

Zuerst (in etwas anderer Fassung) in: „Festschrift für Werner Neuse",
Berlin: Die Diagonale, 1968, S. 135—142

Oskar Seidlin · Versuche über Eichendorff

ISBN 3-525-33203-3. 1965. 303 Seiten, Leinen

Der Deutschunterricht: Es steht außer Frage, daß sich in Seidlins „Versuchen" ein überwacher Sinn für künstlerische Gestalt mit kritischem Urteilsvermögen und erlesener Darstellungsgabe in sehr glücklicher Weise verbinden.

Der Deutschland-Funk: Seidlin deckt mit Hilfe dieser textbezogenen Methode, die aber nie starr und schematisch verfährt, auch noch am scheinbar unscheinbaren Objekt geheime Bezüge auf, er öffnet Durchblicke — und das macht die Lektüre dieses Buches zu einem aufregenden Abenteuer, das um so größer wird, je mehr man liest. Wer das ausführliche Schlußkapitel beendet hat, sieht Eichendorffs Dichtungen mit anderen Augen an.

The Germanic Review: Seidlin's stimulating reflections deserve lasting gratitude for having removed Eichendorff once and forever from the conventional classification as a poet of simple patriotism, conservatism and "Stimmung".

Oskar Seidlin · Von Goethe zu Thomas Mann

Zwölf Versuche · Kleine Vandenhoeck-Reihe 170 (S)
ISBN 3-525-20723-9. 2., durchgesehene Auflage 1969. 216 Seiten, engl. brosch.

Inhalt: Goethes Iphigenie — „verteufelt human"? / Zur Mignon-Ballade / Goethes Zauberflöte / Ist das „Vorspiel auf dem Theater" ein Vorspiel zum „Faust"? / Helena: Vom Mythos zur Person / Schillers „Trügerische Zeichen". Die Funktion der Briefe in seinen frühen Dramen / Wallenstein: Sein und Zeit / Aufstieg und Fall des Bürgertums: Schiller und Dumas Fils / Stiluntersuchung in einem Thomas-Mann-Satz / Pikareske Züge im Werke Thomas Manns / Ironische Brüderschaft: Thomas Manns „Joseph der Ernährer" und Laurence Sternes „Tristram Shandy" / Die Orestie heute: Enthumanisierung des Mythos

Études Germaniques: Les douze études d'Oskar Seidlin se distinguent d'abord par leur rigueur philologique. Ce qui frappe ensuite c'est un sense littéraire très sûr. Mais la note dominante de ces travaux réside dans leur préoccupation du spirituel.

Modern Language Review: On finishing the book the first reaction is one of admiration for Seidlin's expertize. The ease of his style is obviously based on judgment, revision and discipline, and his conclusions are based on the text rather than on private revelation.

Germanistik: Mut zeichnet das bescheidene und sympathische, gescheite und kluge Buch auch im übrigen aus. Neuland wird erschlossen, wo alles wohlbestellt schien.

VANDENHOECK & RUPRECHT IN GÖTTINGEN UND ZÜRICH

Germanistik in der Kleinen Vandenhoeck-Reihe

Einzelband DM 3,80; Doppelband DM 4,80; Dreifachband DM 5,80; Sonderband (S) DM 8,80

169(S)   Formkräfte der deutschen Dichtung
          vom Barock bis zur Gegenwart
          Herausgegeben von Hans Steffen
          2., durchgesehene Auflage 1967. 290 Seiten

Mit Beiträgen von Richard Alewyn, Friedrich Beissner, Paul Böckmann, Heinrich Otto Burger, Claude David, Wilhelm Emrich, Wolfgang Preisendanz, Wolfdietrich Rasch, Karl Ludwig Schneider, Friedrich Sengle, Hans Steffen, Friedrich-Wilhelm Wentzlaff-Eggebert, Benno von Wiese, Klaus Ziegler

250(S)   Die deutsche Romantik
          Poetik, Formen und Motive
          Herausgegeben von Hans Steffen
          2. Auflage 1970. 287 Seiten.

Mit Beiträgen von Herbert Anton, Paul Böckmann, Richard Brinkmann, Claude David, Werner Kohlschmidt, Eberhard Lämmert, Hugo Moser, Walter Müller-Seidel Wolfgang Preisendanz, Wolfdietrich Rasch, Karl Ludwig Schneider, Hans Steffen, Ingrid Strohschneider-Kohrs, Karl Heinz Volkmann-Schluck

208(S)   Der deutsche Expressionismus · Formen
          und Gestalten
          Herausgegeben von Hans Steffen
          1965. 240 Seiten.

Mit Beiträgen von Paul Böckmann, Richard Brinkmann, Wilhelm Emrich, Werner Haftmann, Erich von Kahler, Werner Kohlschmidt, Eberhard Lämmert, Johannes Langner, Fritz Martini, Hans Konrad Röthel, Karl Ludwig Schneider, Hans Heinz Stuckenschmidt

271(S)
277(S)   Das deutsche Lustspiel. Band I und II
          Herausgegeben von Hans Steffen.
          1968/69 242 und 217 Seiten.

Mit Beiträgen von Beda Allemann, Herbert Anton, Jean Louis Bandet, Paul Böckmann, Richard Brinkmann, Heinz Otto Burger, Claude David, Hans-Egon Hass, Walter Hinck, Marianne Kesting, Gerhard Kluge, Fritz Martini, Wolfdietrich Rasch, Walter Müller-Seidel, Wolfgang Preisendanz, Karl Ludwig Schneider, Hans Joachim Schrimpf, Herbert Singer, Hans Steffen, Benno von Wiese

VANDENHOECK & RUPRECHT IN GÖTTINGEN UND ZÜRICH